ITALIANO
PASSO A PASSO

CB069732

ITALIANO
PASSO A PASSO

Charles Berlitz

Charles Berlitz, lingüista mundialmente famoso e autor de mais de 100 livros de ensino de línguas, é neto do fundador das Escolas Berlitz. Desde 1967, o Sr. Berlitz não está vinculado, de nenhuma maneira, às Escolas Berlitz.

Martins Fontes
São Paulo 2001

Esta obra foi publicada originalmente nos Estados Unidos
da América com o título *ITALIAN Step-by-Step*.
Copyright © 1979 by Charles Berlitz.
Copyright © Livraria Martins Fontes Editora Ltda.,
São Paulo, 1994, para a presente edição.

A edição brasileira da série Passo a Passo
foi coordenada por Monica Stahel.

1ª edição
julho de 1994
2ª edição
janeiro de 1996
4ª tiragem
fevereiro de 2001

Tradução
RENATO AMBROSIO

Revisão da tradução
Monica Stahel
Revisão técnica
Attilio Faggi
Ivone Castilho Benedetti
Revisão gráfica
Cristina Vecchione
Silvana Vieira
Produção gráfica
Geraldo Alves
Paginação/Fotolitos
Studio 3 Desenvolvimento Editorial
Capa
Katia Harumi Terasaka

Dados Internacionais de Catalogação na Publicação (CIP)
(Câmara Brasileira do Livro, SP, Brasil)

Berlitz, Charles
  Italiano passo a passo / Charles Berlitz; [tradução Renato Ambrosio ; revisão da tradução Monica Stahel]. – 2ª ed. – São Paulo : Martins Fontes, 1995.

  ISBN 85-336-0456-4
  Bibliografia

  1. Italiano – Estudo e ensino 2. Italiano – Gramática 3. Italianos – Livros-texto para estrangeiros – Português I. Título.

95-4800   CDD-458.2469

Índices para catálogo sistemático:
1. Italianos : Livros-texto para estrangeiros :
Português   458.2469

Todos os direitos para a língua portuguesa reservados à
Livraria Martins Fontes Editora Ltda.
Rua Conselheiro Ramalho, 330/340
01325-000 São Paulo SP Brasil
Tel. (11) 239-3677 Fax (11) 3105-6867
e-mail: info@martinsfontes.com
http://www.martinsfontes.com

SUMÁRIO

PREFÁCIO	XI
COMO PRONUNCIAR O ITALIANO	XIII
CONVERSAÇÃO: NUM CAFÉ	3

A questão da pronúncia – a questão da tradução – gênero dos substantivos – artigos definidos e indefinidos

PASSO 1: LUGARES E OBJETOS	9
CONVERSAÇÃO: UMA CORRIDA DE TÁXI	13

Ritmo da língua – orações interrogativas – a negação – *cos'è?* – preposições simples e articuladas

PASSO 2: O PRESENTE DOS VERBOS	17
CONVERSAÇÃO: NO ESCRITÓRIO	24

Gênero dos adjetivos – "ser" ou "estar" – pronomes pessoais – o plural – possessivos – o presente de *parlare* – advérbios em *-mente* – *si parla italiano*

PASSO 3: NÚMEROS – COMO USÁ-LOS	28
CONVERSAÇÃO: NA UNIVERSIDADE	34

Preços – números de telefone – ordinais – horas – variação dos adjetivos conforme gênero e número – palavras terminadas em *-tà*

PASSO 4: LOCALIZAÇÃO DE OBJETOS E LUGARES	40
CONVERSAÇÃO: RECEBENDO CORRESPONDÊNCIAS E RECADOS	48

C'è e *ci sono* – o partitivo – dupla negação – *mi dispiace* – a preposição *da* – expressões com *avere*

PASSO 5: USO DOS VERBOS DAS TRÊS CONJUGAÇÕES NO PRESENTE DO INDICATIVO	53
CONVERSAÇÃO: UM CONVITE PARA O CINEMA	62

Verbos terminados em *-are* – *parlo* = "falo", "estou falando" – *eccolo!*

– verbos terminados em *-ere* – presente como futuro – verbos terminados em *-ire* – alguns verbos irregulares

PASSO 6: RELAÇÕES DE PARENTESCO	67
CONVERSAÇÃO: FALANDO SOBRE UMA FAMÍLIA	70

Relações de parentesco: vocabulário – *questo, quello* – a importância do *ne* – iniciais maiúsculas – o adjetivo *bello* – superlativo com *-issimo* – *di* com comparativo – *via!*

PASSO 7: COMO LER, ESCREVER, SOLETRAR E PRONUNCIAR O ITALIANO	78
CORRESPONDÊNCIA: BILHETE DE AGRADECIMENTO E CARTÃO-POSTAL	83

O alfabeto italiano – o *si* impessoal – verbos reflexivos ou pronominais – *che* em frases exclamativas

PASSO 8: VERBOS BÁSICOS COM REFERÊNCIA AOS SENTIDOS	88
CONVERSAÇÃO: NUMA DISCOTECA	97

Bere, um verbo irregular – pronomes objetivos diretos – o gerúndio – mais uma vez *si* – o *-s* formando antônimos – *portare* – *conoscere* e *sapere*

PASSO 9: PROFISSÕES E OCUPAÇÕES	102
CONVERSAÇÃO: NUMA FESTA	106

Palavras terminadas em *-one* – verbos terminados em *-durre* – plural das palavras oxítonas – *spegnere* – *qui* e *qua, lì* e *là*

PASSO 10: INFORMAÇÕES SOBRE A DIREÇÃO A SEGUIR – VIAGEM DE AUTOMÓVEL	111
CONVERSAÇÃO: DANDO ORDENS	118

Pronome objetivo indireto – imperativo para *Lei* e *Loro* – a posição dos pronomes objetivos – usos de *fare* – pronomes ligados ao infinitivo – no cabeleireiro e no barbeiro: vocabulário – *diamine!*

PASSO 11: DESEJOS E NECESSIDADES (QUERO, POSSO, PODERIA, PRECISO, GOSTARIA DE)	123
CONVERSAÇÃO: UM PROGRAMA DE TELEVISÃO	128

Volere, potere, dovere – o verbo precisar: *aver bisogno* e *bisognare* – o automóvel: vocabulário – o *ci* – outro uso de *fare* – *vorrei* = eu gostaria – masculino terminado em *-a*

PASSO 12: USO DOS VERBOS REFLEXIVOS 135
CONVERSAÇÃO: INDO A UMA REUNIÃO DE NEGÓCIOS 141
Verbos pronominais reflexivos – *farsi la barba* – as refeições – *andare al letto e coricarsi* – um verbo e dois pronomes – verbos reflexivos expressando emoções

PASSO 13: PREFERÊNCIAS E OPINIÕES 147
CONVERSAÇÃO: FAZENDO COMPRAS 153
Variação dos adjetivos terminados em *-e* – o verbo *piacere* – comparativo e superlativo dos advérbios – comparativo e superlativo dos adjetivos – *eccone* – a supressão fonética do *-e* – o verbo *supporre* – colocação do possessivo

PASSO 14: COMPRAS NO MERCADO E NOMES DE ALIMENTOS 164
CONVERSAÇÃO: NO RESTAURANTE 169
Relembrando o uso dos partitivos – a preposição *da* – o sufixo *-eria* – *niente* – "o que é?", "como é feito?"

PASSO 15: USO DO TRATAMENTO FAMILIAR (*TU*) 177
CONVERSAÇÃO: NUM TERRAÇO DE CAFÉ 185
Tu = "você" – imperativo para *tu* – *ciao* – imperativo para *voi* – "amar" e "querer bem" – o diminutivo – *i signori, le signore* – expressões de insulto e de carinho

PASSO 16: DIAS, MESES, ESTAÇÕES DO ANO, O TEMPO 193
CONVERSAÇÃO: FALANDO SOBRE O TEMPO 199
Datas: como perguntar e responder – *che tempo fa?* – o clima – as estações do ano

PASSO 17: FORMAÇÃO DO FUTURO DO INDICATIVO 205
CONVERSAÇÃO: PLANOS PARA UMA VIAGEM À ITÁLIA 213
Construção do futuro a partir do infinitivo – no médico: vocabulário – derivados dos verbos irregulares – *noialtri e voialtri* – o artigo antes do possessivo

PASSO 18: FORMAÇÃO DO PARTICÍPIO PASSADO 221
Uso do particípio passado: placas e avisos – formação do particípio passado – particípio passado de verbos irregulares – placas e anúncios sem particípio passado: vocabulário

PASSO 19: COMO FORMAR O PASSADO COM O AUXILIAR
    AVERE   231
CONVERSAÇÃO: O QUE ACONTECEU NO ESCRITÓRIO   238
O passato prossimo: formação e emprego – "há muito tempo" – *passato prossimo* do verbo *avere* – o verbo *mancare* – emprego do infinitivo e do gerúndio

PASSO 20: FORMAÇÃO DO PASSADO COM O AUXILIAR
    ESSERE   248
CONVERSAÇÃO: O QUE ACONTECEU NA FESTA   256
Verbos que fazem o passado com *essere* – concordância entre sujeito e particípio passado – mais expressões com *fare* – preposição *di* com infinitivo

PASSO 21: USO DO CONDICIONAL PARA PEDIDOS, CONVITES
    E DISCURSO INDIRETO   263
CONVERSAÇÃO: RECADO POR TELEFONE   269
O condicional por polidez – formação do condicional presente – pronomes ligados ao infinitivo – o condicional passado ou composto – atendendo ao telefone: vocabulário

PASSO 22: O IMPERFEITO: TEMPO USADO NAS NARRATIVAS   274
CONVERSAÇÃO: UMA REUNIÃO DE FAMÍLIA RECORDANDO
    O PASSADO   278
Formação e uso do imperfeito – modelo de verbos das três conjugações no imperfeito – verbos irregulares – mais um exemplo de condicional: intenção futura expressa no passado

PASSO 23: USO DO *PASSATO REMOTO*   286
CONVERSAÇÃO: RELATANDO UM ACONTECIMENTO   295
Formação e uso do *passato remoto* – verbos irregulares no *passato remoto* – o *trapassato prossimo*: mais-que-perfeito – emprego dos tempos passados no mesmo texto – situações de emergência: vocabulário

PASSO 24: USO DO *CONGIUNTIVO*   300
CONVERSAÇÃO: CONFLITO DE GERAÇÕES   307
O modo *congiuntivo*: o subjuntivo – o subjuntivo presente – verbos irregulares no subjuntivo presente – o *congiuntivo passato* – o *congiuntivo* com expressões impessoais – *non... che*

PASSO **25**: CONDIÇÕES E SUPOSIÇÕES 316
CONVERSAÇÃO: O QUE VOCÊ FARIA SE GANHASSE NA
        LOTERIA? 322
Imperfeito do *congiuntivo* – o *se* indicando suposições – verbos irregulares no imperfeito do subjuntivo – *infinito composto* ou *infinito passato*

PASSO **26**: COMO LER O ITALIANO 328
Correspondência comercial – finais de cartas – manchetes e notícias – um trecho de Dante – o italiano: língua musical e língua da música

VOCÊ SABE MAIS ITALIANO DO QUE IMAGINA 334

VOCABULÁRIO PORTUGUÊS-ITALIANO 335

PREFÁCIO

Italiano Passo a Passo distingue-se nitidamente de outras obras destinadas a ensinar ou recordar o idioma italiano.

Este livro será um guia valioso para o seu aprendizado do italiano, passo a passo, desde o seu primeiro contato com o idioma até a conversação avançada. Você aprenderá a se exprimir corretamente no italiano coloquial, sem necessidade de explicações extensas e complicadas. A partir da primeira página você irá deparar com um material de conversação de aplicação imediata.

Esta obra atinge plenamente seus objetivos pela sua maneira lógica e peculiar de apresentar o idioma, através da abordagem "passo a passo". Cada construção, cada uso verbal, cada expressão do idioma italiano, os mais diversos tipos de situações e emoções da vida cotidiana, tudo isso é apresentado em modelos de conversação concisos e fáceis de serem seguidos.

Os diálogos, além de interessantes, irão fixar-se facilmente em sua memória, pois baseiam-se em palavras imediatamente utilizáveis na comunicação com pessoas de língua italiana.

Se você for principiante, ficará surpreso com a facilidade com que aprenderá a falar o italiano de maneira a ser entendido por pessoas que falam essa língua. Se você já conhece um pouco do idioma, perceberá que este livro desenvolverá sua compreensão, sua fluência, sua habilidade para incorporar novas palavras a seu vocabulário e, principalmente, sua confiança para expressar-se em italiano.

Este livro foi organizado em 26 "passos", que irão levá-lo do simples pedido de um café até a habilidade de compreender e construir uma narrativa que envolva um vocabulário mais extenso e tempos verbais complexos. Ao longo do caminho, você aprenderá a iniciar diálogos, contar fatos, pedir informações, usar adequadamente frases de cumprimento e agradecimento, tornando-se apto a participar das mais diversas situações da vida cotidiana dos países de língua italiana. Simultaneamente você absorverá um vocabulário de milhares de palavras, o uso das várias formas verbais e de uma infinidade de expressões idiomáticas.

Ao longo dos textos, são introduzidas de maneira simples e gradual, sem sobrecarregá-lo, as explicações necessárias para que você possa incorporar os novos conhecimentos e continuar avançando. No final de cada "passo", você encontrará uma parte de aplicação prática, constituída quase sempre por um trecho de conversação que, além de fixar os conceitos aprendidos, mostra hábitos e formas de expressão das pessoas de língua italiana.

Ao final do livro você descobrirá que, passo a passo, e com prazer, aprendeu a falar e entender o idioma italiano.

COMO PRONUNCIAR O ITALIANO

Todas as frases nas lições e diálogos deste livro estão escritas em três linhas consecutivas. A primeira linha está em italiano, a segunda indica como se deve pronunciá-la e a terceira é a tradução para o português. Para pronunciar bem o italiano, você deve ler a segunda linha como se fosse português, isto é, dando às letras a pronúncia do nosso idioma. Veja um exemplo:

Buon giorno, signore.
Buon djiorno, sinhore.
Bom dia, senhor.

È libero questo tavolo?
É líbero qüesto távolo?
Esta mesa está desocupada?

À medida que você for progredindo, tente pronunciar o italiano sem olhar para a segunda linha, que estará sempre lá se você precisar dela.

Seguem-se algumas observações que certamente irão ajudá-lo a fixar melhor determinadas particularidades da pronúncia do italiano:

1. O acento tônico das palavras italianas cai quase sempre na penúltima sílaba. Quando, em palavras de duas ou mais sílabas, a última sílaba for tônica, ela receberá um acento gráfico.

2. A pronúncia do *a* é quase sempre aberta. Esteja atento para não pronunciar o *a* nasal antes de *m* e *n*, como em a**nn**o ou *domani*.

3. A pronúncia italiana de alguns grupos de letras difere consideravelmente da portuguesa. Aqui está uma lista dos principais, com indicação da pronúncia de cada um deles e um exemplo de uma palavra que o contenha, para que você já vá se familiarizando com os sons e a grafia do italiano:

ce = **tche**   *cento* / **tchento**
ci = **tchi**   *città* / **tchitá**

che = que	*perchè* / **perquê**
chi = qui	*chiamo* / **quiamo**
ge = dje	*gente* / **djente**
gi = dji	*giro* / **djiro**
ghe = gue	*ghetto* / **gueto**
ghi = gui	*paghi* / **págui**
gli = lh	*figlio* / **filho**
gn = nh	*sogno* / **sonho**
sce = che	*scena* / **chena**
sci = chi	*lasciare* / **lachiare**
z / zz = dz	*zero* / **dzero**; *mezzo* / **medzo**
z / zz = tz	*zucchero* / **tzúquero**; *piazza* / **piatza**

4. O *h* é sempre mudo. É associado ao *c* e ao *g*, antes de *e* e *i* (*che, chi, ghe, ghi*) para lhes dar o som gutural, como vimos na lista acima. O *h* também é usado para distinguir algumas formas do verbo *avere* ("ter") e em palavras estrangeiras (*hangar*).

5. O *l* é pronunciado sempre com a língua no céu da boca. Não se deve pronunciá-lo como "u", tendência freqüente no português. Treine, por exemplo, com:

caldo / **caldo**   soltanto / **soltanto**

6. O *r* em italiano é sempre vibrante, mesmo quando duplo. Para pronunciá-lo, deve-se vibrar a ponta da língua contra o céu da boca.

7. O grupo *qu* é sempre pronunciado como "cu", mesmo diante de *e* ou *i*. Veja como será sua indicação na linha de pronúncia e aproveite para treinar:

cinque / **tchinqüe**   quinto / **qüinto**   quanto / **quanto**

8. As consoantes, quando dobradas, têm o seu som reforçado. O *q* é reforçado antepondo-se a ele o *c* (acqua / **áqua**).

9. Em qualquer idioma, a inflexão das palavras varia conforme a frase em que estão inseridas e o contexto em que estão sendo proferidas. Essas circunstâncias podem eventualmente interferir na própria pronúncia. Por isso, a linha de pronúncia será apenas um primeiro guia para você. Ouvindo e falando bastante, você irá captando as sutilezas da entonação da língua italiana.

É muito importante que você tenha sempre em mente as observações deste capítulo. Depois de ler cada lição pela primeira vez, leia novamente em voz alta. Vá aumentando sua velocidade de leitura, até chegar ao ritmo normal de conversação. Aos poucos, tente desligar-se da linha da pronúncia, considerando-a como um auxiliar nos momentos de dúvida. Estudando sozinho ou com outra pessoa, tente ler os diálogos desempenhando os diferentes papéis, representando expressões e gestos. Acostumando-se a falar com naturalidade, logo você atingirá o ritmo e a fluência necessários para se fazer entender pelos italianos.

ITALIANO
PASSO A PASSO

CONVERSAÇÃO: NUM CAFÉ

As frases seguintes podem ser usadas em qualquer café italiano. O travessão antes da frase indica a mudança de personagem.

– Buon giorno, signore.
Buon djiorno, sinhore.
Bom dia, senhor.

> *A questão da pronúncia*
> *A segunda linha, que dá a pronúncia italiana, deve ser lida como se fosse português. O resultado será uma frase compreensível no italiano. Para saber o valor fonético de cada letra, leia o capítulo "Como pronunciar o italiano".*

– Buon giorno.
Buon djiorno.
Bom dia.

È libero questo tavolo?
É líbero qüesto távolo?
Esta mesa está desocupada?

> *A questão da tradução*
> *A tradução literal de* Prego, si accomodi *é "Por favor, se acomode". Mas nem sempre daremos aqui a tradução literal das frases. O importante é que você perceba o emprego das construções e expressões adequadas às diversas circunstâncias.*

– Sì, signore. Prego, si accomodi.
Si, sinhore. Prego, si acómodi.
Sim, senhor. Por favor, sente-se.

- Con permesso.
  Con permesso.
  Com licença.

  Scusi, signora.
  Scúsi, sinhora.
  Desculpe, senhora.

- Prego, signore.
  Prego, sinhore.
  Não foi nada, senhor.

- Cameriere, un caffè, per piacere.
  Cameriere, un café, per piatchere.
  Garçom, um café, por favor.

> **Masculino ou feminino**
> *Os substantivos em italiano são masculinos ou femininos (não há neutro). A maioria dos substantivos masculinos termina em -o, e a maioria dos femininos, em -a.*

- Sì, signore, subito.
  Si, sinhore, súbito.
  Sim, senhor, num instante.

- Ah, signor Dinardo. Come sta?
  A, sinhor Dinardo. Come sta?
  Ah, Sr. Dinardo. Como vai?

- Molto bene, grazie. E Lei?
  Molto bene, grátzie. E Lei?
  Muito bem, obrigado. E o senhor?

- Non c'è male. Si accomodi un momento, per piacere.
  Non tché male. Si acómodi un momento, per piatchere.
  Nada mal. Sente-se um momento, por favor.

  Ecco una sedia.
  Eco una sédia.
  Aqui está uma cadeira.

– Con piacere.
Con piatchere.
Com prazer.

– Cameriere, per piacere, un altro caffè.
Cameriere, per piatchere, un altro café.
Garçom, por favor, um outro café.

– Molte grazie.
Molte grátzie.
Muito obrigado.

– Questo caffè è buono, vero?
Qüesto café é buono, vero?
Este café é bom, não é?

> **Non è vero?**
> Vero, *literalmente, significa "verdadeiro". Mas a expressão* non è vero? *significa "não é verdade?", "não é?", "concorda?".*

– Sì, non c'è male.
Si, non tché male.
Sim, não é mau.

– Cameriere, il conto, per favore.
Cameriere, il conto, per favore.
Garçom, a conta, por favor.

– Ecco, signore.
Eco, sinhore.
Aqui está, senhor.

> **Ecco!**
> Ecco *pode significar "eis aqui" ou "aqui está", dependendo do contexto.*

– Grazie per il caffè.
Grátzie per il café.
Obrigado pelo café.

Os artigos
Artigos definidos:

	singular	plural
masculino	il, lo, l'	i, gli
feminino	la, l'	le

Il *é usado diante de palavras que começam com consoante (* il cavallo*). Usa-se* l' *diante de palavras que começam com vogal (* l'alunno*). Usa-se* lo *diante de palavras que começam com* s *mudo (* lo studente*),* z *(* lo zio*),* p *mudo (* lo psicologo*),* gn *(* lo gnocco*) e com palavras de origem estrangeira que começam com letras inexistentes no alfabeto italiano (* lo whisky, lo xenofobo*). O plural de* il *é* i*. O plural de* l' *e de* lo *é* gli*.*

Para o feminino, usa-se la *diante de palavras que começam com consoante (* la zia, la montagna*) e* l' *diante de palavras começadas por vogal (* l'amica*). O plural de* la *e de* l' *é* le*.*

Artigos indefinidos:

	singular	plural
masculino	un, uno	dei, degli
feminino	una, un'	delle

Un *é usado com palavras que começam com vogal ou consoante (* un cavallo, un alunno*). Usa-se* uno *diante de palavras que começam com* s *mudo (* uno studente*),* z *(* uno zio*),* p *mudo (* uno psicologo*),* gn *(* uno gnocco*) ou palavras estrangeiras que começam com letras que não existem no alfabeto italiano (* uno whisky, uno xenofobo*). O plural de* un *é* dei*. O plural de* uno *é* degli*. O uso do artigo indefinido no plural não é obrigatório.*

Para o feminino, usa-se una *diante de palavras que começam com consoante (* una montagna, una zia*). Usa-se* un' *diante de palavras que começam com vogal (* un'amica*). O plural de* una *e de* un' *é* delle*.*

– Prego, arrivederci.
Prego, arrivedêrtchi.
De nada. Até logo.

– Arrivederci e a presto.
Arrivedêrtchi e a presto.
Até logo.

TESTE O SEU ITALIANO

Numere as frases que estão em italiano conforme suas correspondentes em português. Marque 10 pontos para cada resposta correta. Veja as respostas ao final.

1. Bom dia.	Con permesso.
2. Por favor, sente-se.	Scusi, signora.
3. Com licença.	Buon giorno.
4. Desculpe, senhora.	Arrivederci e a presto.
5. Não é nada, senhor.	Si accomodi, per piacere.
6. Garçom, um café, por favor.	Come sta?
7. Sim, senhor, em um instante.	Molto bene, grazie, e Lei?
8. Como vai você?	Cameriere, un caffè, per piacere.
9. Muito bem, obrigado, e o senhor?	Sì, signore, subito.
10. Até logo.	Prego, signore.

Respostas: 3, 4, 1, 10, 2, 8, 9, 6, 7, 5

Resultado: _____ %

passo 1 LUGARES E OBJETOS

Un albergo, un ristorante,
Unalbergo, un ristorante,
Um hotel, um restaurante,

> *Ritmo da língua*
> Você notará que na linha que indica a pronúncia algumas palavras são aglutinadas, com o objetivo de aproximar o máximo possível a leitura fonética da pronúncia italiana.

un teatro, una banca.
un teatro, una banca.
um teatro, um banco.

– È un ristorante?
É un ristorante?
É um restaurante?

> *Orações interrogativas*
> Para uma oração afirmativa ou declarativa transformar-se em interrogativa, basta acrescentar a ela o ponto de interrogação e pronunciá-la com entonação interrogativa.

– Sì. È un ristorante.
Si. É un ristorante.
Sim. É um restaurante.

– È un albergo?
É unalbergo?
É um hotel?

– No, signore. Non è un albergo.
No, sinhore. Noné unalbergo.
Não, senhor. Não é um hotel.

>*Duas palavras para "não"*
>No *é usado como negação daquilo que é perguntado ou proposto e equivale a uma oração.* Non *nega ou exclui o conceito expresso pelo verbo.*

– Che cos'è?
Que cosé?
O que é?

>**Cos'è? = "*O que é?*"**
>Cos'é? *é a contração de* Cosa è?*. O italiano, sempre que possível, evita o encontro de duas vogais.*

– È un teatro.
É un teatro.
É um teatro.

Un tassì, un autobus.
Un tassi, unáutobus.
Um táxi, um ônibus.

– È un tassì o un autobus?
É un tassi o unáutobus?
É um táxi ou um ônibus?

– È un tassì.
É un tassi.
É um táxi.

Un cinema, un negozio, un museo.
Un tchínema, un negótzio, un museo.
Um cinema, uma loja, um museu.

– È un negozio? Sì, è un negozio.
É un negótzio? Si, é un negótzio.
É uma loja? Sim, é uma loja.

– È un museo? No, non è un museo.
É un museo? No, noné un museo.
É um museu? Não, não é um museu.

– Cos'è?
Cosé?
O que é?

– È un cinema.
É un tchínema.
É um cinema.

Una via, una piazza, una statua.
Una via, una piatza, una státua.
Uma rua, uma praça, uma estátua.

– Che via è questa?
Que via é qüesta?
Que rua é esta?

– È Via Garibaldi.
É Via Garibáldi.
É a rua Garibaldi.

– Che piazza è questa?
Que piatza é qüesta?
Que praça é esta?

– È Piazza Vittorio Emanuele II.
É Piatza Vitório Emanuele Secondo.
É a Praça Vittorio Emanuele II.

– Che statua è questa?
Que státua é qüesta?
Que estátua é esta?

- È la statua di San Pietro.
É la státua di San Pietro.
É a estátua de São Pedro.

– Che ristorante è questo?
Que ristorante é qüesto?
Que restaurante é este?

– È il Ristorante Capri.
É il Ristorante Cápri.
É o Restaurante Capri.

CONVERSAÇÃO: UMA CORRIDA DE TÁXI

– Tassì, è libero?
Tassi, é líbero?
Táxi, está livre?

– Sì, signore. Per dove?
Si, sinhore. Per dove?
Sim, senhor, para onde?

– All'albergo Narciso. È lontano?
Alalbergo Nartchiso. É lontano?
Ao Hotel Narciso. É longe?

Preposições simples e articuladas
As preposições simples em italiano são oito: di, a, da, in, per, con, su, tra *(*fra*). Elas se unem aos artigos definidos, formando as contrações, conforme o quadro abaixo (entre parênteses, as opcionais):*

prep./art.	di	a	da	in	per	con	su	tra
il	del	al	dal	nel	–	(col)	sul	–
lo	dello	allo	dallo	nello	–	–	sullo	–
la	della	alla	dalla	nella	–	–	sulla	–
i	dei	ai	dai	nei	(pei)	(coi)	sui	–
gli	degli	agli	dagli	negli	–	–	sugli	–
le	delle	alle	dalle	nelle	–	–	sulle	–

– No, signore. Non è lontano. È vicino.
No, sinhore. Noné lontano. É vitchino.
Não, senhor. Não é longe. É perto.

13

- Scusi. Dov'è l'Hotel Tevere?
  Scúsi. Dové lotel Tévere?
  Desculpe. Onde é o Hotel Tevere?

- Lì, a sinistra.
  Li, a sinistra.
  Ali, à esquerda.

- È un buon albergo?
  É un buonalbergo?
  É um bom hotel?

> **A perda do -o final**
> Alguns adjetivos, como buono, perdem o -o final quando utilizados diante de substantivos masculinos, como em buon albergo.

- Sì, signore, molto buono... e molto caro.
  Si, sinhore, molto buono... e molto caro.
  Sim, senhor, muito bom... e muito caro.

- Dov'è il Museo Nazionale?
  Dové il Museo Natzionale?
  Onde é o Museu Nacional?

- Alla fine di questa via, a destra.
  Ala fine di qüesta via, a destra.
  No fim desta rua, à direita.

- È quel grande edificio, lì.
  É qüel grande edifítchio, li.
  É aquele prédio grande, ali.

- Ecco l'albergo, signore.
  Eco lalbergo, sinhore.
  Aqui está o hotel, senhor.

- Molto bene. Grazie. Quant'è?
  Molto bene. Grátzie. Quanté?
  Muito bem. Obrigado. Quanto é?

– Duemila e cinquecento lire.
Duemila e tchinqüetchento lire.
Duas mil e quinhentas liras.

– Vediamo: mille, duemila, uno, due, tre, quattro e cinque... e questo è per Lei.
Vediamo: mile, duemila, uno, due, tre, quatro e tchinqüe... e qüesto é per Lei.
Vejamos: mil, duas mil, um, dois, três, quatro e cinco... e isto é para o senhor.

– Molte grazie, signore.
Molte grátzie, sinhore.
Muito obrigado, senhor.

– Prego.
Prego.
De nada.

A questão do gênero
Os substantivos masculinos geralmente terminam em -o e os femininos em -a. Quanto aos outros casos, você os aprenderá à medida que aparecerem.

TESTE O SEU ITALIANO

Numere as frases que estão em português conforme suas correspondentes em italiano. Marque 10 pontos para cada resposta correta. Veja as respostas no final.

1. È un buon albergo?
2. È vicino?
3. È lontano?
4. Non è lontano.
5. È libero?
6. È a sinistra?
7. Dov'è?
8. A destra.
9. Quant'è?
10. Che piazza è questa?

Está livre?
Quanto é?
Onde fica?
É um bom hotel?
Que praça é esta?
É longe?
É à esquerda?
É perto?
Não é longe.
À direita.

Respostas: 5, 9, 7, 1, 10, 3, 6, 2, 4, 8

Resultado: _____ %

passo 2 O PRESENTE DOS VERBOS

Alcuni esempi del verbo "essere":
Alcúni esêmpi del verbo "éssere":
Alguns exemplos do verbo "ser":

– Lei è italiano o americano?
Lei é italiano o americano?
O senhor é italiano ou americano?

– Io sono italiano e anche mia moglie è italiana.
Io sono italiano e anque mia molhe é italiana.
Eu sou italiano e também minha esposa é italiana.

> *O gênero dos adjetivos*
> *Os adjetivos têm o mesmo gênero dos substantivos a que se referem:* Mario è italiano; Maria è italiana. *A forma dos adjetivos pátrios que terminam em -ese permanece a mesma para os dois gêneros:* Mary è inglese; John è inglese.

– È italiano lui?
É italiano lui?
Ele é italiano?

– No, lui non è italiano; è francese.
No, lui noné italiano; é frantchese.
Não, ele não é italiano; é francês.

– È italiana lei?
É italiana lei?
Ela é italiana?

17

– No, lei non è italiana; è inglese.
No, lei nonè italiana; é inglese.
Não, ela não é italiana; é inglesa.

– Di dov'è Lei?
Di dové Lei?
De onde é o senhor?

– Sono di Sorrento.
Sono di Sorrento.
Sou de Sorrento.

– Che bella città!
Que bela tchitá!
Que bela cidade!

– Scusi, dove sono i signori Bernardi?
Scúsi, dove sono i sinhôri Bernárdi?
Desculpe, onde estão os senhores Bernardi?

Essere = "ser", "estar"
O verbo essere *pode significar "ser" ou "estar":* Mario è a Roma = *"Mário está em Roma";* Mario è italiano = *"Mário é italiano".*
O verbo essere *tem a seguinte conjugação no presente:*
  io sono
  tu sei
  lui è
  lei è
  Lei è
  noi siamo
  voi siete
  loro sono

Os pronomes pessoais
Os pronomes lei *("ela") e* lui *("ele"), terceira pessoa do singular no feminino e masculino, respectivamente, são utilizados sobretudo na língua falada. Na língua escrita, com a função de sujeito, podemos encontrar* egli *em vez de* lui *e*

ella *em vez de* lei. Lei, *com inicial maiúscula, é o pronome de cortesia, usado quando falamos com um desconhecido ou com alguém que, no Brasil, trataríamos por "senhor" ou "senhora". Nesse caso,* Lei *serve para o masculino e para o feminino.* Tu *(segunda pessoa do singular) é utilizado no tratamento informal.* Voi *é um pronome de tratamento plural.*

Com exceção de alguns tempos verbais que os exigem, os pronomes, no italiano, não são de uso obrigatório.

– Sono nel ristorante dell'albergo.
  Sono nel ristorante delalbergo.
  Estão no restaurante do hotel.

– Dove sono i loro bambini?
  Dove sono i loro bambíni?
  Onde estão os filhos deles?

> *O plural*
> *As palavras femininas terminadas em* -a *no singular fazem plural em* -e. *Todas as outras palavras fazem plural em* -i.

– Sono nel parco.
  Sono nel parco.
  Estão no parque.

– Dove sono Francesca e Giannina?
  Dove sono Frantchesca e Djiannina?
  Onde estão Francisca e Joaninha?

– Sono in viaggio.
  Sono in viádjio.
  Estão viajando.

Possessivos

	singular		plural	
	masc.	*fem.*	*masc.*	*fem.*
io	mio	mia	miei	mie
tu	tuo	tua	tuoi	tue
lei } lui } Lei }	suo	sua	suoi	sue
noi	nostro	nostra	nostri	nostre
voi	vostro	vostra	vostri	vostre
loro	loro	loro	loro	loro

O possessivo, no italiano, é precedido do artigo definido:

Questo è il mio libro = *Este é o meu livro*
Questa è la mia casa = *Esta é a minha casa*

A única exceção é quando o possessivo aparece diante de nomes que indicam relação de parentesco no singular. Não se diz la mia madre, *mas* mia madre *("minha mãe")*.

Il verbo parlare:
Il verbo parlare:
O verbo falar:

Io parlo italiano.
Io parlo italiano.
Eu falo italiano.

Lei parla inglese?
Lei parla inglese?
O senhor/a senhora fala inglês?

Mia moglie non parla bene l'italiano.
Mia molhe non parla bene litaliano.
Minha esposa não fala bem o italiano.

Noi parliamo italiano con i nostri amici.
Nói parliamo italiano con i nóstri amítchi.
Nós falamos italiano com nossos amigos.

Parlare = *"falar"*
O verbo parlare *é da primeira conjugação; isto é, tem o infinitivo terminado em* -are. *Observe sua conjugação no presente:*
 io parl*o*
 tu parl*i*
 lui/lei parl*a*
 Lei parl*a*
 noi parl*iamo*
 voi parl*ate*
 loro/parl*ano*

Loro parlano molto rapidamente.
Loro párlano molto rapidamente.
Eles falam muito rapidamente.

Advérbios em -mente
Formam-se a partir do adjetivo, como em português.
 rapido – rapidamente
 raro – raramente
 naturale – naturalmente
 possibile – possibilmente

Una presentazione:
Una presentatzione:
Uma apresentação:

– Signora Camaro... il mio amico Carlo Rossini.
 Sinhora Camaro... il mio amico Carlo Rossíni.
 Sra. Camaro... o meu amigo Carlos Rossini.

– Piacere, signore.
 Piatchere, sinhore.
 Prazer, senhor.

– Il piacere è mio, signora.
 Il piatchere é mio, sinhora.
 O prazer é meu, senhora.

– Il suo nome è italiano,
Il suo nome é italiano,
O seu nome é italiano,

ma Lei è americano, non è vero?
ma Lei é americano, noné vero?
mas o senhor é americano, não é?

– Sì, i miei genitori sono italiani.
Si, i méi djenitôri sono italiáni.
Sim, os meus pais são italianos.

– Interessante! Di che parte sono?
Interessante! Di que parte sono?
Interessante! De que região são?

– Mio padre è di Firenze
Mio padre é di Firentze
Meu pai é de Florença

e mia madre è di Roma.
e mia madre é di Roma.
e minha mãe é de Roma.

Io sono di Nuova York,
Io sono di Nuova Iork,
Eu sou de Nova York,

ma anche là si parla molto italiano.
ma anque lá si parla molto italiano.
mas lá também se fala muito italiano.

> **Si parla italiano = *"fala-se italiano"***
> *O pronome* si *usado com verbo na terceira pessoa do singular equivale ao "se" do português. Como em português, serve para construir formas impessoais.*

– Sì, è vero.
Si, é vero.
Sim, é verdade.

– E Lei, signora, parla l'inglese?
E Lei, sinhora, parla linglese?
E a senhora, fala inglês?

– Parlo soltanto un poco.
Parlo soltanto un poco.
Falo apenas um pouco.

L'inglese è molto dificile.
Linglese é molto difítchile.
O inglês é muito difícil.

Ma con Lei, signore,
Ma con Lei, sinhore,
Mas com o senhor

non è necessario parlare inglese.
noné netchessário parlare inglese.
não é necessário falar inglês.

Lei parla italiano molto bene
Lei parla italiano molto bene
O senhor fala italiano muito bem

e con un buon accento.
e con un buon atchento.
e com uma boa pronúncia.

– Molte grazie, signora.
Molte grátzie, sinhora.
Muito obrigado, senhora.

Lei è molto gentile.
Lei é molto djentile.
A senhora é muito gentil.

CONVERSAÇÃO: NO ESCRITÓRIO

Il signor Martino è di Nuova York.
Il sinhor Martino é di Nuova Iork.
O Sr. Martino é de Nova York.

È americano, però parla italiano.
É americano, peró parla italiano.
É americano, no entanto fala italiano.

È nell'ufficio del signor Ferrucci.
É nelufítchio del sinhor Ferrútchi.
Ele está no escritório do Sr. Ferrucci.

> **Lembre-se**
> in + il = nel
> in + lo = nello (nell' *antes de vogal*)
> in + la = nella (nell' *antes de vogal*)
> in + i = nei
> in + gli = negli
> in + le = nelle

Parla con la segretaria del signor Ferrucci.
Parla con la segretária del sinhor Ferrútchi.
Está falando com a secretária do Sr. Ferrucci.

SIGNOR MARTINO:
Buon giorno, signorina.
Buon djiorno, sinhorina.
Bom dia, senhorita.

È questo l'ufficio del signor Ferrucci?
É qüesto lufítchio del sinhor Ferrútchi?
É este o escritório do Sr. Ferrucci?

> *Lembre-se*
> di + il = del
> di + lo = dello (dell' *antes de vogal*)
> di + la = della (dell' *antes de vogal*)
> di + i = dei
> di + gli = degli
> di + le = delle

LA SEGRETARIA:
  Sì, signore, sono la segretaria.
  Si, sinhore, sono la segretária.
  Sim, senhor, sou a secretária.

SIGNOR MARTINO:
  Sono il signor Martino – sono un suo amico.
  Sono il sinhor Martino – sono un suo amico.
  Sou o Sr. Martino – sou um amigo dele.

  Ecco il mio biglietto.
  Eco il mio bilheto.
  Aqui está o meu cartão.

  È molto occupato adesso?
  É molto ocupato adesso?
  Ele está muito ocupado agora?

LA SEGRETARIA:
  Un momento, signore.
  Un momento, sinhore.
  Um momento, senhor.

  (lei parla al telefono):
  (lei parla al teléfono):
  (ela fala ao telefone):

  Scusi, signore. Lei è molto occupato adesso?
  Scúsi, sinhore. Lei é molto ocupato adesso?
  Desculpe, senhor. O senhor está muito ocupado agora?

Il signor Martino è qui nell'ufficio.
Il sinhor Martino é qüi nelufítchio.
O Sr. Martino está aqui no escritóro.

...va bene, subito.
...va bene, súbito.
...está bem, imediatamente.

(lei parla con il signor Martino)
(lei parla con il sinhor Martino)
(ela fala com o Sr. Martino)

Il signor Ferrucci è nel suo ufficio.
Il sinhor Ferrútchi é nel suo ufítchio.
O Sr. Ferrucci está em seu escritório.

Prego, da questa parte.
Prego, da qüesta parte.
Por favor, por aqui.

SIGNOR MARTINO:
Grazie, Lei è molto gentile.
Grátzie, Lei é molto djentile.
Obrigado, a senhora é muito gentil.

LA SEGRETARIA:
È un piacere, signore.
É un piatchere, sinhore.
É um prazer, senhor.

TESTE O SEU ITALIANO

Numere as frases que estão em italiano conforme suas correspondentes em português. Veja as respostas no final. Marque 10 pontos para cada resposta correta.

1. O senhor fala inglês?	Piacere.
2. Eu falo italiano.	Questo è interessante.
3. De onde o senhor é?	Prego, da questa parte.
4. Eles estão viajando.	È molto occupato?
5. Prazer em conhecê-lo.	Lei è molto gentile.
6. Isto é interessante.	Parlo italiano.
7. Por favor, por aqui.	Lei parla inglese?
8. O senhor está muito ocupado?	Loro sono in viaggio.
9. A senhora é muito gentil.	Lei parla italiano molto bene.
10. O senhor fala italiano muito bem.	Di dov'è Lei?

Respostas: 5, 6, 7, 8, 9, 2, 1, 4, 10, 3

Resultado: _____ %

passo 3 NÚMEROS – COMO USÁ-LOS

I numeri:
I númeri:
Os números:

0	1	2	3	4
zero	uno	due	tre	quattro
dzero	**uno**	**due**	**tre**	**quatro**

5	6	7	8	9
cinque	sei	sette	otto	nove
tchinqüe	**sei**	**sete**	**oto**	**nove**

10	11	12	13
dieci	undici	dodici	tredici
diétchi	**únditchi**	**dôditchi**	**trêditchi**

14	15	16
quattordici	quindici	sedici
quatôrditchi	**qüínditchi**	**sêditchi**

17	18	19	20	21
diciassette	diciotto	diciannove	venti	ventuno
ditchiassete	**ditchioto**	**ditchianove**	**vênti**	**ventuno**

22	23	24	25
ventidue	ventitrè	ventiquattro	venticinque
ventidue	**ventitrê**	**ventiquatro**	**ventitchinqüe**

eccetera, fino a	30	e dopo...
etchétera, fino a	**trenta**	**e dopo...**
etcétera, até	*trinta*	*e depois...*

40	50	60	70
quaranta	cinquanta	sessanta	settanta
quaranta	**tchinquanta**	**sessanta**	**setanta**

80	90	100	200	300
ottanta	novanta	cento	duecento	trecento
otanta	**novanta**	**tchento**	**duetchento**	**tretchento**

400	500	600	700
quattrocento	cinquecento	seicento	settecento
quatrotchento	**tchinqüetchento**	**seitchento**	**setetchento**

800	900	1000
ottocento	novecento	mille
ototchento	**novetchento**	**mile**

10.000	100.000	1.000.000
diecimila	cento mila	un milione
dietchimila	**tchento mila**	**un milione**

I numeri sono importanti:
I númeri sono importánti:
Os números são importantes:

> *Os adjetivos variam conforme o gênero e o número*
> Em italiano, os adjetivos variam de acordo com o substantivo, como em português. Os adjetivos que terminam em -e (masculino e feminino) fazem o plural em -i:
>
> a casa grande = la casa grande
> as casas grandes = le case grandi
>
> o teatro grande = il teatro grande
> os teatros grandes = i teatri grandi

nei negozi...
nei negótzi...
nas lojas...

Un cliente: Quanto costa?
Un cliente: Quanto costa?
Um cliente: Quanto custa?

La commessa: Seicento cinquanta lire, signore.
La comessa: Seitchento tchinquanta lire, sinhore.
A vendedora: Seiscentos e cinqüenta liras, senhor.

al telefono...
al teléfono...
no telefone...

Una voce: Pronto! Chi parla?
Una votche: Pronto! Qui parla?
Uma voz: Alô, quem fala?

Seconda voce: È il numero 78.45.83?
Seconda votche: É il número sete oto, quatro tchinqüe, oto tre?
Segunda voz: É o número 78.45.83?

Prima voce: No, signore. Questo è il numero 78.43.85.
Prima votche: No, sinhore. Qüesto é il número setantoto, quarantatrê, otantatchinqüe.
Primeira voz: Não senhor. Este é o número 78.43.85.

> *Números de telefone*
> *Em italiano, os números de telefone são ditos dezena por dezena.*

Seconda voce: Oh! Scusi! È uno sbaglio.
Seconda votche: Oh! Scúsi! É uno zbalho.
Segunda voz: Oh! Desculpe! É engano.

per domandare indirizzi...
per domandare indirítzi...
para perguntar endereços...

Un signore: Qual'è il suo indirizzo?
Un sinhore: Qualé il suo indiritzo?
Um senhor: Qual é o seu endereço?

Una signora: Via Veneto, numero 14, al secondo piano.
Una sinhora: Via Vêneto, número quatôrditchi, al secondo piano.
Uma senhora: Via Veneto, número 14, segundo andar.

Números ordinais

1.º primo	6.º sesto
2.º secondo	7.º settimo
3.º terzo	8.º ottavo
4.º quarto	9.º nono
5.º quinto	10.º decimo

per sapere l'ora...
per sapere lora...
para saber a hora...

– Che ora è?
Que ora é?
Que horas são?

> **Che ora è?** *ou* **Che ore sono?**
> *Antes das horas usamos o artigo* le *para as horas plurais (*sono le otto *ou* sono le sette*) e* l' *para uma hora (*è l'una*). Para meio-dia e meia-noite não usamos artigo (*è mezzanotte *ou* è mezzogiorno*). A hora oficial, usada em estações de trem, aeroportos, TV e rádio é dada de 0 a 24.*
>
> *Três e quinze da tarde =* ore quindici e quindici minuti.

– È l'una.
É luna.
É uma hora.

Sono le due.
Sono le due.
São duas horas.

Sono le due e cinque... le due e dieci.
Sono le due e tchinqüe... le due e diétchi.
São duas e cinco... duas e dez.

Sono le due e un quarto.
Sono le due e un quarto.
São duas e quinze (ou duas e um quarto).

Sono le due e venti... le due e venticinque.
Sono le due e vênti... le due e ventitchinqüe.
São duas e vinte... duas e vinte e cinco.

Sono le due e mezzo.
Sono le due e medzo.
São duas e meia.

Sono le due e trentacinque... le tre meno venticinque.
Sono le due e trentatchinqüe... le tre meno ventitchinqüe.
São duas e trinta e cinco... vinte e cinco para as três.

Sono le tre meno un quarto.
Sono le tre meno un quarto.
Faltam quinze para as três.

Sono le tre meno dieci... le tre meno cinque.
Sono le tre meno diétchi... le tre meno tchinqüe.
Faltam dez para as três... faltam cinco para as três.

Sono le tre.
Sono le tre.
São três horas.

per darsi un appuntamento...
per dársi unapuntamento...
para marcar um encontro...

– Va bene per domani alle cinque?
Va bene per dománi ale tchinqüe?
Está bem para amanhã às cinco?

– Scusi, a che ora?
Scúsi, a que ora?
Desculpe, a que horas?

– Alle cinque del pomeriggio.
Ale tchinqüe del pomerídjio.
Às cinco da tarde.

– Sì, va bene, ma dove?
Si, va bene, ma dove?
Sim, está bem, mas onde?

– Davanti alla Fontana di Trevi.
Davánti ala Fontana di Trévi.
Em frente à Fontana di Trevi.

– Benone. Però se non ci sono
Benone. Peró se non tchi sono
Ótimo. Mas se eu não estiver lá

alle cinque in punto, mi aspetti, va bene?
ale tchinqüe in punto, mi aspéti, va bene?
às cinco em ponto, espere-me, está bem?

CONVERSAÇÃO: NA UNIVERSIDADE

Un giovane parla con una giovane:
Un djióvane parla con una djióvane:
Um jovem fala com uma jovem:

> **Observe o artigo**
> No caso de substantivos comuns de dois (que têm a mesma forma para o masculino e o feminino) é o artigo que nos indica o gênero, como em português:
> un giovane = *um jovem*
> una giovane = *uma jovem*

– Buon giorno, signorina.
  Buon djiorno, sinhorina.
  Bom dia, senhorita.

  Lei è una nuova studentessa qui, vero?
  Lei é una nuova studentessa qüi, vero?
  A senhorita é uma nova aluna aqui, não é?

> *Não esqueça!*
>
> | | masculino | feminino |
> |---|---|---|
> | *estudante* | lo studente | la studentessa |
> | *professor* | il professore | la professoressa |
> | *doutor* | il dottore | la dottoressa |
> | *campeão* | il campione | la campionessa |

– Sì, è il mio primo anno qui.
  Si, é il mio primo ano qüi.
  Sim, é meu primeiro ano aqui.

– Molto bene. Io sono il segretario
Molto bene. Io sono il segretário
Muito bem. Eu sou o secretário

dell'Università.
deluniversitá.
da Universidade.

> *Fácil de reconhecer*
> *O sufixo -tà em italiano corresponde ao sufixo "-dade" em português:*
>
> Università = *Universidade*
> libertà = *liberdade*
> unità = *unidade*
>
> *As palavras italianas terminadas em -tà não se modificam no plural.*

Mi chiamo Mario Bentrovato.
Mi quiamo Mário Bentrovato.
Eu me chamo Mário Bentrovato.

– Piacere, signore.
Piatchere, sinhore.
Muito prazer, senhor.

– Prego, qual'è il Suo nome e cognome?
Prego, qualé il Suo nome e conhome?
Desculpe, qual é seu nome e sobrenome?

– Lucrezia Rotolo.
Lucrétzia Rotolo.
Lucrécia Rotolo.

– Grazie. E qual'è il Suo numero di telefono?
Grátzie. E qualé il Suo número di teléfono?
Obrigado. E qual é seu telefone?

– Il mio numero è 31.94.69.
Il mio número é trentuno, novantaquatro, sessantanove.
O meu telefone é 31.94.69.

– Capito. E il Suo indirizzo?
Capito. E il Suo indiritzo?
Entendido. E seu endereço?

– Corso della Vittoria, numero 24.
Corso dela Vitória, número ventiquatro.
Avenida da Vitória, número 24.

Terzo piano.
Tertzo piano.
Terceiro andar.

– Benissimo. È tutto.
Beníssimo. É tuto.
Ótimo. É só isso.

Grazie e a presto.
Grátzie e a presto.
Obrigado e até logo.

UN AMICO DELLA GIOVANE: Che tipo!
Unamico dela djióvane: Que tipo!
UM AMIGO DA JOVEM: Que sujeito!

LA GIOVANE: Ma cosa dici?
La djióvane: Ma cosa dítchi?
A JOVEM: O que você está dizendo?

È il segretario dell'Università.
É il segretário deluniversitá.
É o secretário da Universidade.

L'AMICO: Che bugiardo!
Lamico: Que budjiardo!
O AMIGO: Que mentiroso!

Non è vero.
Noné vero.
Não é verdade.

È uno studente come tutti noi.
É uno studente come túti noi.
É um aluno como todos nós.

> ***Lembre-se***
> *Usa-se* uno *em vez de* un *diante de substantivos iniciados por s mudo.*

Attenzione...
Atentzione...
Cuidado...

TESTE O SEU ITALIANO

Traduza as frases abaixo para o português. Marque 10 pontos para cada resposta correta. Veja as respostas a seguir.

1. Quanto costa?

2. Seicento cinquanta lire, signore.

3. Chi parla?

4. Qual'è il Suo indirizzo?

5. Che ore sono?

6. Sono le tre meno un quarto.

7. Alle cinque del pomeriggio.

8. Qual'è il Suo nome e cognome?

9. Qual'è il Suo numero di telefono?

10. Non è vero.

Resultado: _____ %

Respostas: 1. Quanto custa? 2. Seiscentas e cinquenta liras, senhor. 3. Quem fala? 4. Qual é seu endereço? 5. Que horas são? 6. São quinze para as três. 7. As cinco da tarde. 8. Qual é seu nome e sobrenome? 9. Qual é o número do seu telefone? 10. Não é verdade.

passo 4 — LOCALIZAÇÃO DE OBJETOS E LUGARES

Ecco alcuni esempi delle espressioni *c'è* e *ci sono*:
Eco alcúni esêmpi delespressiôni tché e tchi sono:
Eis alguns exemplos das expressões c' è *e* ci sono:

> **C'è, ci sono = vi è, vi sono**
> *Em português, o verbo haver, com sentido de existir, é impessoal, portanto usado apenas na forma da terceira pessoa do singular. No italiano usa-se* c'è *para o singular e* ci sono *para o plural.*
>
> *há uma pessoa* = c'è una persona
> *há sete pessoas* = ci sono sette persone
>
> *Em vez de* c'è *e* ci sono *pode-se usar também* vi è *e* vi sono. *É uma simples questão de escolha.*

– C'è qualcuno in quest'ufficio?
Tché qualcuno in qüestufítchio?
Há alguém neste escritório?

– Sì, c'è qualcuno.
Si, tché qualcuno.
Sim, há alguém.

– Quante persone ci sono?
Quante persone tchi sono?
Quantas pessoas há?

– Ci sono sette persone.
Tchi sono sete persone.
Há sete pessoas.

– Quante scrivanie ci sono?
Quante scrivanie tchi sono?
Quantas escrivaninhas há?

– Ci sono due scrivanie.
Tchi sono due scrivanie.
Há duas escrivaninhas.

– Quante sedie ci sono?
Quante sédie tchi sono?
Quantas cadeiras há?

– Ci sono quattro sedie.
Tchi sono quatro sédie.
Há quatro cadeiras.

– Cosa c'è sul muro?
Cosa tché sul muro?
O que há na parede?

> **Lembre-se**
> su + il = sul
> su + lo = sullo (sull' *antes de vogal*)
> su + la = sulla (sull' *antes de vogal*)
> su + i = sui
> su + gli = sugli
> su + le = sulle

– Sul muro ci sono alcuni quadri
Sul muro tchi sono alcúni quádri
Na parede há alguns quadros

e un orologio.
e unorolódjio.
e um relógio.

– Ora sono le cinque e mezzo.
Ora sono le tchinqüe e medzo.
São cinco e meia.

C'è qualcuno nell'ufficio?
Tché qualcuno nelufítchio?
Há alguém no escritório?

– No, adesso non c'è nessuno.
No, adesso non tché nessuno.
Não, agora não há ninguém.

> *Dupla negação*
> Note o uso, no italiano, da dupla negação. As palavras nessuno e niente, *que já são negativas, são reforçadas por* non.
> Non c'è nessuno.
> Non c'è niente.

– C'è qualcosa sul tavolo?
Tché qualcosa sul távolo?
Há alguma coisa sobre a mesa?

– Sì, c'è qualcosa.
Si, tché qualcosa.
Sim, há alguma coisa.

– Cosa c'è?
Cosa tché?
O que há?

– Ci sono varie cose:
Tchi sono várie cose:
Há várias coisas:

dei fiori, della frutta e una bottiglia di vino.
dei fiôri, dela fruta e una botilha di vino.
flores, frutas e uma garrafa de vinho.

> *O partitivo*
> A preposição di, em contração com os diferentes artigos, tem caráter partitivo. Em português ela corresponderia a "alguns", "algumas", "um pouco de", ou simplesmente não se traduz.

della frutta = *algumas frutas, um pouco de frutas*
del caffè = *um pouco de café*
delle rose = *algumas rosas*
O partitivo é de uso facultativo em italiano.

Lembre-se
di + il = del
di + i = dei
di + l' = dell'
di + lo = dello
di + gli = degli
di + la = della
di + le = delle

– C'è qualcosa sulla sedia?
Tché qualcosa sula sédia?
Há alguma coisa sobre a cadeira?

– No, non c'è niente – niente affatto.
No, non tché niente – niente afato.
Não, não há nada – nada mesmo.

C'è e *ci sono* sono utili
Tché e tchi sono sono útili
C'è *e* ci sono *são úteis*

per fare domande.
per fare domande.
para fazer perguntas.

Per esempio:
Per esêmpio:
Por exemplo:

– Scusi, signore. C'è un buon ristorante qui vicino?
Scúsi, sinhore. Tché un buon ristorante qüi vitchino?
Desculpe, senhor. Há um bom restaurante aqui perto?

– C'è una banca qui vicino?
Tché una banca qüi vitchino?
Há um banco aqui perto?

– C'è una farmacia in questa via?
Tché una farmatchia in qüesta via?
Há uma farmácia nesta rua?

– C'è un telefono publico qui?
Tché un teléfono público qüi?
Tem um telefone público aqui?

– Dove c'è una cassetta per lettere?
Dove tché una cassetta per lettere?
Onde há uma caixa de correio?

Altre espressioni:
Altre espressiôni:
Outras expressões:

All'albergo.
Alalbergo.
No hotel.

Un viaggiatore: C'è una camera libera?
Un viadjiatore: Tché una cámera líbera?
Um viajante: Há um quarto vago?

Il direttore: Mi dispiace
Il diretore: Mi dispiatche
O diretor: Sinto muito,

> **Mi dispiace**
> *Aprenda esta frase, por enquanto, como uma expressão idiomática, que significa "sinto muito".*

é tutto occupato.
é tuto ocupato.
está tudo ocupado.

In casa:
In casa:
Em casa:

Il ragazzo: C'è qualcosa da mangiare?
Il ragatzo: Tché qualcosa da mandjiare?
O menino: Há alguma coisa para comer?

Da = "de", "à casa de", "para"
Veja alguns sentidos da preposição da:

Luigi viene da Roma.
Luís vem de Roma.

Io vado da Maria.
Vou à casa de Maria.

Cosa c'è da mangiare?
O que há para comer?

Ho fame.
Ó fame.
Estou com fome.

Avere *no lugar de "estar com"*
Em italiano se diz literalmente "eu tenho fome" e não "eu estou com fome". A conjugação do verbo avere *no presente é:*
io ho
tu hai
lui/lei ha
Lei ha
noi abbiamo
voi avete
loro hanno

La madre: Sì, c'è del pane, del burro
La madre: Si, tché del pane, del burro
A mãe: Sim, há pão, manteiga

e della carne nella cucina.
e dela carne nela cutchina.
e carne na cozinha.

Il marito: Cosa c'è da bere?
Il marito: Cosa tché da bere?
O marido: O que há para beber?

Ho sete.
Ó sete.
Estou com sede.

> **Outras expressões com avere**
> Ho fretta = *Estou com pressa.*
> Hai caldo? = *Você está com calor?*
> Hanno freddo? = *Eles estão com frio?*

La moglie: C'è della birra e del vino.
La molhe: Tché dela birra e del vino.
A esposa: Há cerveja e vinho.

In ufficio:
In ufítchio:
No escritório:

Il capoufficio: C'è qualcosa d'importante nella posta?
Il capoufítchio: Tché qualcosa dimportante nela posta?
O chefe: Há alguma coisa importante na correspondência?

La segretaria: No, non c'è niente d'importante.
La segretária: No, non tché niente dimportante.
A secretária: Não, não há nada importante.

Fra amici:
Fra amítchi:
Entre amigos:

Paolo: Ciao! Che c'è di nuovo?
Paolo: Tchiao! Que tché di nuovo?
Paulo: Oi! O que há de novo?

Michele: Oh! Niente di straordinario.
Miquele: Oh! Niente distraordinário.
Miguel: Oh! Nada de extraordinário.

CONVERSAÇÃO: RECEBENDO CORRESPONDÊNCIAS E RECADOS

UN SIGNORE:
Un sinhore:
Um senhor:

La mia chiave, per favore.
La mia quiave, per favore.
A minha chave, por favor.

Ho fretta.
Ó freta.
Estou com pressa.

Ci sono lettere per me?
Tchi sono létere per me?
Há cartas para mim?

> *Pronomes depois de preposições*
> *Depois de preposições, o pronome* io *toma a forma* me, *e* tu *toma a forma* te. Lui, lei, Lei, noi, voi *e* loro *não se alteram.*

UN IMPIEGATO:
Unimpiegato:
Um empregado:

Sì, signore. Ci sono due lettere,
Si, sinhore. Tchi sono due létere,
Sim, senhor. Há duas cartas,

una cartolina
una cartolina
um cartão-postal

e un pacco abbastanza grande.
e un paco abastantza grande.
e um pacote bem grande.

Una delle lettere viene dall'estero.
Una dele létere viene daléstero.
Uma das cartas é do exterior.

> **Lembre-se**
> da + il = dal
> da + lo = dallo (dall' *antes de vogal*)
> da + la = dalla (dall' *antes de vogal*)
> da + i = dai
> da + gli = dagli
> da + le = dalle

I francobolli sono molto belli, no?
I francobôli sono molto béli, no?
Os selos são muito bonitos, não?

IL SIGNORE:
Sì, questo è tutto?
Si, qüesto é tuto?
São; é só isso?

L'IMPIEGATO:
No, ci sono due messaggi telefonici.
No, tchi sono due messádji telefônitchi.
Não, há dois recados telefônicos.

È tutto scritto su questo foglio.
É tuto scrito su qüesto folho.
Está tudo escrito neste papel.

IL SIGNORE:
C'è altro?
Tché altro?
Há mais alguma coisa?

L'IMPIEGATO:
No, non c'è altro.
No, non tché altro.
Não, não há mais nada.

IL SIGNORE:
E adesso, per favore, mi dia
E adesso, per favore, mi dia
E agora, por favor, dê-me

dieci francobolli da cento lire
diétchi francobôli da tchento lire
dez selos de cem liras

e delle buste per posta aerea.
e dele buste per posta aérea.
e alguns envelopes para correio aéreo.

L'IMPIEGATO:
Sùbito, signore.
Súbito, sinhore.
Num instante, senhor.

TESTE O SEU ITALIANO

Traduza as frases abaixo para o português. Marque 10 pontos para cada resposta correta. Veja as respostas a seguir.

1. C'è qualcosa da mangiare?

2. Sì, c'è del pane, del burro e della carne.

3. Cosa c'è da bere?

4. C'è della birra e del vino.

5. Che c'è di nuovo?

6. Oh! Niente di straordinario.

7. La mia chiave, per favore.

8. Ci sono lettere per me?

9. Questo è tutto?

10. No, non c'è altro.

Resultado: _____ %

Respostas: 1. Há alguma coisa para comer? 2. Sim, há pão, manteiga e carne. 3. O que há para beber? 4. Há cerveja e vinho. 5. O que há de novo? 6. Oh! Nada de extraordinário. 7. A minha chave, por favor. 8. Há cartas para mim? 9. É só isso? 10. Não, não há mais nada.

passo 5 — USO DOS VERBOS DAS TRÊS CONJUGAÇÕES NO PRESENTE DO INDICATIVO

In italiano ci sono
In italiano tchi sono
Em italiano existem

tre coniugazione di verbi.
tre coniugatzione di vérbi.
três conjugações de verbos.

I verbi come *studiare, parlare*
I vérbi come studiare, parlare,
Os verbos como "estudar", "falar",

> *Aprender italiano através do italiano*
> *No início de cada passo, utilizamos o italiano para explicar as formas e usos dos verbos e outras estruturas. Depois essas explicações aparecem em português, mas, vendo-as antes em italiano, você aprenderá o italiano usando o italiano.*

visitare, stare, ritornare e altri
visitare, stare, ritornare e áltri
"visitar", "estar", "retornar" e outros

sono verbi della prima coniugazione.
sono vérbi dela prima coniugatzione.
são verbos da primeira conjugação.

> *Verbos terminados em -are*
> *A primeira conjugação reúne verbos cujo infinitivo termina em -are. No presente do indicativo, todos seguem o modelo*

da conjugação de parlare, *que vimos no Passo 2. Aqui está o presente de* abitare *("morar"):*

io abito
tu abiti
lui abita
noi abitiamo
voi abitate
loro abitano

"Ele", "ela", "eles", "elas"
Já conhecemos as formas lui *e* egli *("ele"),* lei *e* ella *("ela") e* loro *("eles", "elas"). Podem-se usar também* esso *("ele") e* essa *("ela"), que no plural permitem a distinção entre masculino (*essi = *"eles") e feminino (*esse = *"elas").*

Uma observação
Agora que você já conhece os pronomes e sabe que a forma verbal para lui, lei *e* Lei *é a mesma, para simplificar registraremos apenas o pronome* lei, *nos exemplos de conjugação de verbos.*

Ecco degli esempi di questi verbi:
Eco dêlhi esêmpi di quésti vérbi:
Veja alguns exemplos destes verbos:

Studio l'italiano
Stúdio litaliano
Estudo italiano

ma lo parlo soltanto un poco.
ma lo parlo soltanto un poco.
mas falo só um pouco.

Visito Roma per la prima volta.
Vísito Roma per la prima volta.
Visito Roma pela primeira vez.

Stiamo all'albergo Nazionale.
Stiamo alalbergo Natzionale.
Estamos no Hotel Nacional.

Dove abita Lei?
Dove ábita Lei?
Onde o senhor mora?

Parla inglese?
Parla inglese?
O senhor fala inglês?

Che cosa studiate quest'anno
Que cosa studiate qüestano
O que vocês estão estudando este ano

nel corso di musica?
nel corso di música?
na aula de música?

> **Parlo =** *"falo"*, *"estou falando"*
> *Note duas traduções possíveis para o presente do indicativo:*
> Parlo l'italiano.
> *Falo italiano.*
> *Estou falando italiano.*

Studiamo la musica di Verdi.
Studiamo la música di Vérdi.
Estamos estudando a música de Verdi.

Quando comincia il concerto?
Quando comíntchia il contcherto?
Quando começa o concerto?

Fra poco. Entriamo.
Fra poco. Entriamo.
Daqui a pouco. Vamos entrar.

Arriva molta gente, no?
Arriva molta djente, no?
Está chegando muita gente, não é?

Sì, tutti aspettano l'entrata del direttore d'orchestra.
Si, túti aspétano lentrata del diretore dorquestra.
Sim, todos estão esperando a entrada do regente.

Ah, eccolo. Adesso cominciano.
Ah, écolo. Adesso comíntchiano.
Ah, aí está ele. Agora estão começando.

Eccolo!
Observe:
Eccolo! = *Aí está ele!*
Eccola! = *Aí está ela!*
Eccoli! = *Aí estão eles!*
Eccole! = *Aí estão elas!*

I verbi come *vivere, prendere, mettere,*
I vérbi come vívere, prêndere, métere,
Os verbos como "viver", "tomar", "colocar",

chiudere, vedere, perdere e altri
quiúdere, vedere, pérdere e áltri
"fechar", "ver", "perder" e outros

sono della seconda coniugazione.
sono dela seconda coniugatzione.
são da segunda conjugação.

Verbos terminados em -ere
Aqui está o modelo de conjugação no presente do indicativo dos verbos da segunda conjugação.

	prendere	mettere	vivere
io	prendo	metto	vivo
tu	prendi	metti	vivi
lui	prende	mette	vive
noi	prendiamo	mettiamo	viviamo
voi	prendete	mettete	vivete
loro	prendono	mettono	vivono

Ecco alcuni esempi:
Eco alcúni esêmpi:
Eis alguns exemplos:

La signora Ricci vive a Roma.
La sinhora Rítchi vive a Roma.
A Sra. Ricci mora em Roma.

I suoi genitori vivono a Milano.
I suoi djenitôri vívono a Milano.
Os seus pais moram em Milão.

Oggi lei prende il treno per Milano
Ôdji lei prende il treno per Milano
Hoje ela vai tomar o trem para Milão

> ***Presente como futuro***
> *Em italiano, o presente do indicativo também é empregado para indicar um futuro próximo.*

con i suoi bambini.
con i suoi bambíni.
com os seus filhos.

Prendono un tassì per andare alla stazione.
Prêndono un tassi per andare ala statzione.
Tomam um táxi para a estação.

L'autista mette le valige in macchina.
Lautista mete le validje in máquina
O motorista coloca as malas no carro

e chiude lo sportello.
e quiúde lo sportelo.
e fecha a porta.

Ma la signora vede un grande orologio
Ma la sinhora vede un grande orolódjio
Mas a senhora vê um grande relógio

all'angolo di una via.
alángolo di una via.
na esquina de uma rua.

"È tardi. In fretta, per favore,
"É tárdi. In freta, per favore,
"É tarde. Rápido, por favor,

o perdiamo il treno."
o perdiamo il treno."
ou vamos perder o trem."

Nella terza coniugazione ci sono
Nela tertza coniugatzione tchi sono
Na terceira conjugação há

verbi come *partire, aprire, seguire,*
vérbi come partire, aprire, següire,
verbos como "partir", "abrir", "seguir",

finire, capire e *dire.*
finire, capire e dire.
"acabar", "entender" e "dizer".

> ***Verbos terminados em -ire***
> *A terceira conjugação agrupa os verbos cujo infinitivo termina em -ire. Nesta conjugação há dois grupos de verbos com conjugações diferentes no presente do indicativo.*
>
> | | 1) partire | 2) capire |
> |------|-----------|-----------|
> | io | parto | capisco |
> | tu | parti | capisci |
> | lui | parte | capisce |
> | noi | partiamo | capiamo |
> | voi | partite | capite |
> | loro | partono | capiscono |

Os verbos como capire, finire, nutrire, *etc. apresentam o sufixo* -isc- *entre o radical e a desinência. Não há nada no infinitivo dos verbos da terceira conjugação que indique a qual grupo pertencem. É a prática que o guiará ao uso da conjugação correta de cada verbo.*
O verbo dire *pertence à terceira conjugação, mas é irregular:*
   io dico
   tu dici
   lui/lei dice
   noi diciamo
   voi dite
   loro/dicono

I turisti seguono la guida.
I turísti séguono la güida.
Os turistas seguem o guia.

Lei apre il cancello dei giardini.
Lei apre il cantchelo dei djiardíni.
Ela abre o portão dos jardins.

Tutti dicono: "Che bello!"
Túti dícono: "Que belo!"
Todos dizem: "Que bonito!"

Ma alcuni non capiscono tutte
Ma alcúni non capíscono tute
Mas alguns não entendem todas

le sue spiegazioni.
le sue spiegatzioni.
as explicações.

Uno dice: "Più piano, per favore.
Uno ditche: "Piu piano, per favore.
Um diz: "Mais devagar, por favor.

Non capisco tutto."
Non capisco tuto."
Não estou entendendo."

Un altro dice: "Quando finisce questa escursione?
Unaltro ditche: "Quando finiche qüesta escursione?
Um outro diz: "Quando acaba esta excursão?

A che ora partiamo?"
A que ora partiamo?"
A que hora partimos?"

Dire è un verbo irregolare.
Dire é un verbo irregolare.
"Dizer" é um verbo irregular.

Altri verbi irregolari sono
Áltri vérbi irregolári sono
Outros verbos irregulares são

andare, sapere, venire e *fare*.
andare, sapere, venire e fare.
"andar", "saber", "vir" e "fazer".

Alguns verbos irregulares importantes:
Assim como em português, é impossível reconhecer um verbo irregular a partir do infinitivo. Você deverá aprender a reconhecê-los através do uso. Na grande maioria dos casos, os verbos que são irregulares em italiano também o são em português. Além dos verbos essere *e* avere, *também são irregulares:*

	andare	venire
io	vado	vengo
tu	vai	vieni
lui	va	viene
noi	andiamo	veniamo
voi	andate	venite
loro	vanno	vengono

	sapere	fare
io	so	faccio
tu	sai	fai
lui	sa	fa
noi	sappiamo	facciamo
voi	sapete	fate
loro	sanno	fanno

– Cosa fa quest'estate?
Cosa fa qüestestate?
O que o senhor fará neste verão?

> **Observe**
> Mais uma vez, preste atenção ao emprego do presente indicando futuro.

– Faccio un viaggio in Italia.
Fátchio un viádjio initália.
Farei uma viagem à Itália.

– Va solo?
Va solo?
O senhor vai sozinho?

– No, non vado solo.
No, non vado solo.
Não, não vou sozinho.

Vengono anche mia moglie e i bambini.
Vêngono anque mia molhe e i bambíni.
Irão também minha esposa e as crianças.

– Ah, fate il viaggio tutti insieme!
A, fate il viádjio tuttinsieme!
Ah, todos farão a viagem juntos!

È meglio così.
É melho cosi.
É melhor assim.

– E Lei, sa quando va di nuovo in Italia?
E Lei, sa quando va di nuovo initália?
E o senhor, sabe quando irá de novo para a Itália?

– Non lo so. Presto, spero.
Non lo só. Presto, spero.
Não sei. Em breve, espero.

CONVERSAÇÃO: UM CONVITE PARA O CINEMA

– Buona sera, ragazze. Dove andate?
Buona sera, ragatze. Dove andate?
Boa tarde, garotas. Aonde vocês vão?

– Andiamo al cinema.
Andiamo al tchínema.
Vamos ao cinema.

– A che cinema andate?
A que tchínema andate?
A que cinema vocês vão?

– Andiamo al Corso.
Andiamo al Corso.
Vamos ao Corso.

– Che film danno oggi?
Que film dano ôdji?
Que filme está passando hoje?

– Un nuovo film.
Un nuovo film.
Um filme novo.

Dicono che è molto divertente.
Dícono que é molto divertente.
Dizem que é muito divertido.

Non viene con noi?
Non viene con noi?
Não vem conosco?

– Non so se ho tempo.
Non só se ó tempo.
Não sei se terei tempo.

Quando comincia?
Quando comíntchia?
Quando começa?

– Fra poco. Alle otto e mezzo.
Fra poco. Ale oto e medzo.
Daqui a pouco. Às oito e meia.

Abbiamo quindici minuti per arrivare.
Abiamo qüínditchi minúti per arrivare.
Temos quinze minutos para chegar.

– E sapete quando finisce?
E sapete quando finiche?
E vocês sabem quando termina?

– Finisce alle dieci e mezzo, più o meno.
Finiche ale diétchi e medzo, piu o meno.
Termina às dez e meia, mais ou menos.

– Non è tardi.
Noné tardi.
Não é tarde.

Allora ho tempo.
Alora ó tempo.
Então tenho tempo.

Vengo con voi, ma i biglietti li pago io.
Vengo con voi, ma i bilhêti li pago io.
Vou com vocês, mas eu pago as entradas.

– Ma che dice! Siamo troppe.
Ma que ditche! Siamo trópe.
Mas o que está dizendo! Nós somos muitas.

Ognuno paga per sè.
Onhuno paga per se.
Cada um paga a sua.

O masculino predomina
Assim como em português, quando num grupo há elementos masculinos e femininos, gramaticalmente prevalece o masculino. Por isso, no diálogo que você acabou de ler, usa-se ognuno *na forma masculina, e não* ognuna, *a forma feminina, porque entre as pessoas que vão ao cinema existe pelo menos um elemento masculino.*

TESTE O SEU ITALIANO

Preencha com a forma verbal correta. Marque 10 pontos para cada resposta certa. Veja as respostas a seguir.

1. Estou visitando Roma pela primeira vez.
   _____ Roma per la prima volta.

2. Eu não entendo.
   Non _____ .

3. Onde o senhor mora?
   Dove _____ Lei?

4. Os seus pais moram em Milão.
   I suoi genitori _____ a Milano.

5. Eles tomam um táxi.
   _____ un tassì.

6. Os turistas seguem o guia.
   I turisti _____ la guida.

7. A que hora partiremos?
   A che ora _____ ?

8. Eu não irei sozinho.
   Non _____ da solo.

9. Que filme está passando hoje?
   Che film _____ oggi.

10. Vocês sabem a que horas termina?
_____ quando _____ ?

Respostas: 1. Visito 2. capisco 3. abita 4. vivono 5. Prendono 6. seguono 7. partiamo 8. vado 9. danno 10. Sapete... finisce

Resultado: _____ %

passo 6 RELAÇÕES DE PARENTESCO

La famiglia:
La familha:
A família:

marito e moglie
marito e molhe
marido e esposa

padre e figlio
padre e filho
pai e filho

fratello e sorella
fratelo e sorela
irmão e irmã

nonno e nipote
nono e nipote
avô e neto

genitori e figli
djenitôri e fílhi
pais e filhos

madre e figlia
madre e filha
mãe e filha

nonni e nipoti
nôni e nipóti
avós e netos

nonna e nipote
nona e nipote
avó e neta

Parentesco confuso
Em italiano, nipote *pode significar "neto" e "neta", e também "sobrinho" e "sobrinha". Só o artigo e o contexto poderão nos ajudar a saber quem é a pessoa em questão.*

Il signor Ragusa è un uomo d'affari.
Il sinhor Ragusa é unuomo dafári.
O Sr. Ragusa é um homem de negócios.

Ha il suo ufficio a Genova.
A il suo ufítchio a Djênova.
Tem o seu escritório em Gênova.

I Ragusa hanno due figli,
I Ragusa ano due fílhi,
Os Ragusa têm dois filhos,

un figlio e una figlia.
un filho e una filha.
um filho e uma filha.

Il loro figlio, Guglielmo, è uno studente.
Il loro filho, Gulhelmo, é uno studente.
O filho deles, Guilherme, é estudante.

Va a scuola.
Va a scuola.
Vai à escola.

Lucia, la sorella di Guglielmo,
Lutchia, la sorela di Gulhelmo,
Lúcia, a irmã de Guilherme,

studia arte.
stúdia arte.
estuda arte.

È fidanzata.
É fidantzata.
Está noiva.

Il suo fidanzato è avvocato.
Il suo fidantzato é avocato.
O noivo dela é advogado.

Il padre del signor Ragusa,
Il padre del sinhor Ragusa,
O pai do Sr. Ragusa,

il nonno di Guglielmo e di Lucia,
Il nono di Gulhelmo e di Lutchia,
o avô de Guilherme e de Lúcia,

è in pensione.
é in pensione.
é aposentado.

È un ex-ufficiale dell'Esercito.
É un ecs-ufitchiale delesértchito.
É um ex-oficial do exército.

In una famiglia ci sono anche
In una familha tchi sono anque
Em uma família há também

gli zii e le zie,
lhi tzíi e le tzie,
os tios e as tias,

i cugini e le cugine,
i cudjíni e le cudjine,
os primos e as primas,

e anche il suocero e la suocera,
e anque il suótchero e la suótchera,
e também o sogro e a sogra,

il cognato e la cognata,
il conhato e la conhata,
o cunhado e a cunhada,

il genero e la nuora.
il djênero e la nuora.
o genro e a nora.

CONVERSAÇÃO: FALANDO SOBRE UMA FAMÍLIA

– È sposata Lei?
É sposata Lei?
A senhora é casada?

– Sì, quel signore è mio marito.
Si, qüel sinhore é mio marito.
Sim, aquele senhor é meu marido.

– Quello con la barba?
Qüelo con la barba?
Aquele de barba?

– No, l'altro. Quello coi baffi.
No, laltro. Qüelo coi báfi.
Não, o outro. Aquele de bigodes.

> **Questo – Quello**
> Questo *significa "este"*.
> Quello *significa "aquele"*.
> *Ambos variam de acordo com o número e o gênero do substantivo a que se referem:*
>
> | | | | |
> |---|---|---|---|
> | questo | questa | questi | queste |
> | quello | quella | quelli | quelle |
>
> **Con**
> *A articulação de* con *com os artigos é facultativa.*
> con + i = coi
> con + il = col
> con + gli = cogli

– Avete figli?
Avete fílhi?
Têm filhos?

– Ne abbiamo quattro,
Ne abiamo quatro,
Temos quatro,

> *O ne é importantíssimo*
> Ne *é uma palavra muito usada e muito importante na língua italiana. Significa "disto", "disso", "daquilo", "dele", "deles". Na oração acima (*Ne abbiamo quattro*), ne significa "disto de que estamos falando", ou seja, "filhos".*

tre ragazzi e una ragazza.
tre ragázti e una ragatza.
três garotos e uma garota.

E Lei?
E Lei?
E o senhor?

– Non ho figli – sono scapolo.
Non ó fílhi – sono scápolo.
Não tenho filhos – sou solteiro.

I vostri figli sono qui?
I vóstri fílhi sono qüi?
Os seus filhos estão aqui?

– No. Uno vive in Inghilterra.
No. Uno vive in Inguilterra.
Não. Um vive na Inglaterra.

> *Inicial maiúscula*
> *Usa-se inicial maiúscula no pronome de tratamento formal* Lei, *e facultativamente nos possessivos relativos a esse pro-*

nome: Suo, Sua, Sue, Suoi, *etc. Nomes próprios de pessoas, países, regiões, estados e cidades também têm inicial maiúscula.*

È sposato con una inglese.
É sposato con una inglese.
É casado com uma inglesa.

Gli altri ragazzi e la ragazza
Lhi áltri ragátzi e la ragatza
Os outros garotos e a garota

studiano alla media.
stúdiano ala mêdia.
fazem o colegial.

Ecco una foto di loro.
Eco una foto di loro.
Aqui está uma fotografia deles.

– Che bei ragazzi!
  Que bei ragátzi!
  Que belos rapazes!

Quanti anni hanno?
Quánti áni ano?
Quantos anos eles têm?

– Pietro ha quattordici anni
  Pietro a quatôrditchi áni
  Pedro tem catorze anos

e Giorgio ne ha dodici.
e Djiórdjio ne a dôditchi.
e Jorge tem doze.

> **Mais uma vez ne**
> *Observe este uso de* ne, *substituindo a palavra* anni *("anos"), já mencionada acima.*

E questa è Teresa.
E qüesta é Teresa.
E esta é Teresa.

Ha quasi diciassette anni.
A quási ditchiassete áni.
Tem quase dezessete anos.

– Che bella!
Que bela!
Que bonita!

E che begli occhi!
E que bélhi óqui!
E que belos olhos!

As várias formas de bello
Assim como os outros adjetivos, bello *varia conforme o gênero e o número do substantivo a que se refere. Mas ele varia de maneira diferente dos outros adjetivos, e de maneira semelhante aos artigos definidos. Observe:*
bel – *masculino, singular, diante das palavras que começam com consoante.*
bello – *masculino, singular, usado com palavras iniciadas por* z, s e p *mudos,* gn, x, y, w e k.
bella – *feminino, singular, diante de palavras que começam com consoante.*
bell' – *masculino e feminino, singular, diante de palavras que começam por vogal.*
bei – *plural de* bel.
begli – *plural de* bello *e de* bell', *masculino.*
belle – *plural de* bella *e de* bell', *feminino.*

Dove studiano?
Dovestúdiano?
Onde estudam?

– I ragazzi vanno in collegio a Pisa.
I ragátzi vano in colédjio a Pisa.
Os garotos vão à escola em Pisa.

Però nostra figlia studia
Peró nostra filha stúdia
Porém a nossa filha estuda

in una scuola per ragazze, a Padova.
in una scuola per ragatze, a Pádova.
em uma escola para moças, em Pádua.

Abbiamo parenti lì
Abiamo parênti li
Temos parentes lá

e lei vive con loro.
e lei vive con loro.
e ela mora com eles.

– Veramente?
Veramente?
Verdade?

Sua figlia è contenta di stare tanto lontana
Sua filha é contenta di stare tanto lontana
Sua filha está contente de estar tão longe

dai suoi genitori?
dai suoi djenitôri?
dos pais?

– Come no! È contentissima.
Come no! É contentíssima.
Claro! Está contentíssima.

> *Superlativo com* -issimo/-issima
> forte – fortissimo
> piano – pianissimo
> contenta – contentissima

– Senza dubbio sua figlia parla molto bene l'italiano, vero?
Sentza dúbio sua filha parla molto bene litaliano, vero?
Sem dúvida, sua filha fala muito bem o italiano, não?

– Certamente! Meglio di me.
Tchertamente! Melho di me.
Com certeza! Melhor do que eu.

Di *no comparativo*
Para se indicar os graus comparativos de inferioridade e de superioridade, usa-se a preposição di:

Lui parla italiano meglio di me.
Ele fala italiano melhor do que eu.

Observe que na oração em italiano não existe che *e o pronome pessoal não é* io, *mas* me.

– Però, Lei parla italiano perfettamente.
Peró, Lei parla italiano perfetamente.
Mas a senhora fala italiano perfeitamente.

– Grazie. Lei è molto gentile.
Grátzie. Lei é molto djentile.
Obrigada. O senhor é muito gentil.

– Oh, ecco mio marito.
O, eco mio marito.
Oh, aí está meu marido.

Probabilmente, vuole di andare via.
Probabilmente, vuole di andare via.
Provavelmente, quer ir embora.

Via!
Via, *como substantivo, significa "rua".*
Andare via *é uma expressão idiomática que significa "ir embora".*
*Via! pode significar "Vá embora!". Também pode ser empregada como interjeição de animação (*Coraggio, via = *"Coragem, vamos!")*

75

TESTE O SEU ITALIANO

Verta as frases abaixo para o italiano. Marque 10 pontos para cada resposta correta. Veja as respostas a seguir.

1. A senhora é casada?

2. Sim, aquele senhor é meu marido.

3. A senhora tem filhos?

4. Temos quatro, três garotos e uma garota.

5. Que belos rapazes!

6. Quantos anos eles têm?

7. Tem quase dezessete anos.

8. Sou solteiro.

9. Está contentíssima.

10. Muito obrigada.

Resultado: _____ %

Respostas: 1. È sposata Lei? 2. Sì, quel signore è mio marito. 3. Avete figli? 4. Ne abbiamo quattro, tre ragazzi e una ragazza. 5. Che bei ragazzi! 6. Quanti anni hanno? 7. Ha quasi diciassette anni. 8. Sono scapolo. 9. È contentissima. 10. Grazie.

passo 7 COMO LER, ESCREVER, SOLETRAR E PRONUNCIAR O ITALIANO

Quali sono le lettere
Quáli sono le létere
Quais são as letras

dell'alfabeto italiano? Eccole:
delalfabeto italiano? École:
do alfabeto italiano? Ei-las:

A	B	C	D	E	F	G	H
a	bi	tchi	di	e	éfe	dji	aca

I	L	M	N	O	P	Q
i	éle	eme	ene	o	pi	cu

R	S	T	U	V	Z
érre	ésse	ti	u	vu	dzeta

L'alfabeto italiano
Lalfabeto italiano
O alfabeto italiano

ha ventuno lettere.
a ventuno létere.
tem vinte e uma letras.

> ***O alfabeto italiano tem 21 letras***
> *As letras j, k, w, x e y são utilizadas em palavras estrangeiras incorporadas à língua.*

L'alfabeto portoghese ha
Lalfabeto portoguese a
O alfabeto português tem

ventitrè lettere.
ventitrê létere.
vinte e três letras.

L'alfabeto italiano ha meno
Lalfabeto italiano a meno
O alfabeto italiano tem menos

lettere dell'alfabeto portoghese.
létere delalfabeto portoguese.
letras que o alfabeto português.

   Quante di meno? Due di meno.
   Quante di meno? Due di meno.
   Quantas a menos? Duas a menos.

L'alfabeto portoghese ha più lettere
Lalfabeto portoguese a piu létere
O alfabeto português tem mais letras

dell'alfabeto italiano.
delalfabeto italiano.
que o alfabeto italiano.

   Quante di più? Due di più.
   Quante di piu? Due di piu.
   Quantas a mais? Duas a mais.

J, K, W,
i lunga, capa, dôpia vu,
J, k, w,

X e Y non sono
ics e i greca non sono
x e y não são

lettere italiane, ma sono
létere italiane, ma sono
letras italianas, mas são

necessarie per scrivere
netchessárie per scrívere
necessárias para escrever

nomi e parole straniere.
nómi e parole straniere.
nomes e palavras estrangeiras.

L'italiano ha un accento scritto.
Litaliano a un atchento scrito.
O italiano tem um acento gráfico.

Si scrive solamente sull'ultima
Si scrive solamente sulúltima
Escreve-se apenas sobre a última

> *O si impessoal*
> Como já vimos no Passo 2 (Si parla italiano), o si italiano equivale ao "se" indeterminante do sujeito em português, e é muito usado: si parla italiano, si dice che..., etc.

sillaba della parola:
sílaba dela parola:
sílaba da palavra:

così, città, quantità, università.
cosi, tchitá, quantitá, universitá.
assim, cidade, quantidade, universidade.

– Scusi, signora. Come si chiama?
Scúsi, sinhora. Come si quiama?
Desculpe, senhora. Como se chama?

> *Como você se chama?*
> Si chiama *significa "chama-se" ou "se chama". Como se*

vê, o uso do si é semelhante ao português, mas com algumas diferenças de posição:
a) *no infinitivo* (chiamarsi), *no gerúndio* (chiamandosi) *e no particípio passado* (chiamatosi), *ele vem depois do verbo, unido a ele (o infinitivo perde o* -e);
b) *nos outros tempos, vem antes do verbo:* Lui si chiama, io mi chiamo, *etc.*
Por este último exemplo, vê-se que essas regras valem para todos os pronomes pessoais oblíquos.

Si *ou* Se?
O nosso "se" pode ser traduzido em italiano por duas formas:
a) *pronome* = si. *Ex.:* Lui si lava le mani. Lei si chiama Anna. *(Ele se lava as mãos. Ela se chama Ana.)*
b) *conjunção* = se. *Ex.:* Se io fossi italiano... *(Se eu fosse italiano...)*

– Mi chiamo Maria Dixon.
 Mi quiamo Maria Dícson.
 Eu me chamo Maria Dixon.

– Come si scrive il Suo cognome?
 Come si scrive il Suo conhome?
 Como se escreve o seu sobrenome?

– Si scrive così:
 Si scrive cosi:
 Escreve-se assim:

 D I X O N
 di i ics o ene
 D I X O N

– Come si chiamano questi signori?
 Come si quiámano qüésti sinhôri?
 Como se chamam estes senhores?

– Loro si chiamano Roberto Della Valle
Loro si quiámano Roberto Dela Vale
Eles se chamam Roberto Della Valle

e Antonio Vittorini.
e António Vitoríni.
e Antônio Vittorini.

I loro nonni sono italiani.
I loro nôni sono italiáni.
Os seus avós são italianos.

Noi scriviamo lettere ai nostri amici.
Noi scriviamo létere ai nóstri amítchi.
Nós escrevemos cartas aos nossos amigos.

Scriviamo il nome e l'indirizzo
Scriviamo il nome e lindiritzo
Escrevemos o nome e o endereço

sulla busta,
sula busta,
no envelope,

mettiamo la lettera dentro
metiamo la létera dentro
colocamos a carta dentro

e poi chiudiamo la busta.
e pói quiudiamo la busta.
e depois fechamos o envelope.

Dopo, ci mettiamo i francobolli.
Dopo, tchi metiamo i francobôli.
Depois, colocamos nele os selos.

CORRESPONDÊNCIA: BILHETE DE AGRADECIMENTO E CARTÃO-POSTAL

Una lettera a un amico:
Una létera a unamico:
Uma carta para um amigo:

Caro Roberto, molte grazie per i fiori.
Caro Roberto, molte grátzie per i fiôri.
Caro Roberto, muito obrigada pelas flores.

Sono bellissimi!
Sono belíssimi!
São belíssimas!

Le rose gialle sono
Le rose djiale sono
As rosas amarelas são

i miei fiori preferiti.
i míei fiôri preferíti.
as minhas flores preferidas.

Grazie ancora.
Grátzie ancora.
Obrigada mais uma vez.

A presto.
A presto.
Até breve.

Affettuosi saluti, Lucia.
Afetuósi salúti, Lutchia.
Afetuosas saudações, Lúcia.

Una cartolina postale a un'amica:
Una cartolina postale a unamica:
Um cartão-postal a uma amiga:

Cara Beatrice,
Cara Beatritche,
Cara Beatriz,

Tanti saluti da Palermo.
Tánti salúti da Palermo.
Saudações de Palermo.

Tutto qui è molto bello.
Tuto qüi é molto belo.
Tudo aqui é muito bonito.

Il clima è magnifico
Il clima é manhífico
O clima é magnífico

e la gente è molto interessante.
e la djente é molto interessante.
e as pessoas são muito interessantes.

Ma Lei non è qui... che peccato!
Ma Lei noné qüi... que pecato!
Mas você não está qui... que pena!

> ***Tratamento formal***
> *Observe que o tratamento neste caso é Lei, apesar de se tratar de uma amiga que é chamada pelo primeiro nome, Beatrice. Nessas circunstâncias, no Brasil, o tratamento seria "você". Trata-se aqui de uma questão de diferenças culturais.*
>
> **Che *em frases exclamativas***
> *Além de* che peccato!, *as seguintes frases exclamativas são úteis para expressar reações durante uma conversa:*
> Che fortuna! = *Que sorte!*

Che sfortuna! = *Que azar!*
Che bello! = *Que bonito!*
Che brutto! = *Que feio!*
Che strano! = *Que estranho!*
Che meraviglia! = *Que maravilha!*

Con affetto, Riccardo.
Conafeto, Ricardo.
Com carinho, Ricardo.

TESTE O SEU ITALIANO

Verta as frases abaixo para o português. Marque 10 pontos para cada resposta correta. Veja as respostas a seguir.

1. Molte grazie per i fiori.

2. Sono bellissimi!

3. Le rose gialle sono i miei fiori preferiti.

4. Grazie ancora.

5. A presto.

6. Tanti saluti da Palermo.

7. Tutto qui è molto bello.

8. Il clima è magnifico.

9. La gente è molto interessante.

10. Affettuosi saluti.

Respostas: 1. Muito obrigada pelas flores. 2. São belíssimas. 3. As rosas amarelas são as minhas flores preferidas. 4. Obrigada mais uma vez. 5. Até logo. 6. Saudações de Palermo. 7. Tudo aqui é muito bonito. 8. O clima é magnífico. 9. As pessoas são muito interessantes. 10. Afetuosas saudações.

Resultado: _____ %

passo 8 VERBOS BÁSICOS COM REFERÊNCIA AOS SENTIDOS

Ecco degli altri
Eco dêlhi áltri
Eis alguns outros

verbi molto importanti:
vérbi molto importánti:
verbos muito importantes:

vedere, guardare, leggere,
vedere, guardare, lêdjere,
"ver", "olhar", "ler",

scrivere, ascoltare, sentire,
scrívere, ascoltare, sentire,
"escrever", "escutar", "ouvir",

mangiare, bere e molti altri.
mandjiare, bere e môlti áltri.
"comer", "beber" e muitos outros.

> *Verbos novos? Acrescente as terminações que você já conhece.*
>
> Acrescentando ao verbo as terminações que você aprendeu no Passo 5, de acordo com cada conjugação, você poderá usar novos verbos corretamente – com exceção, claro, dos irregulares.
>
> Da lista de verbos que demos acima no infinitivo, o único irregular é bere, que no presente se conjuga:
>   io bevo
>   tu bevi

lui beve
noi beviamo
voi bevete
loro bevono

Vediamo con gli occhi.
Vediamo con lhi óqui.
Vemos com os olhos.

Io la vedo.
Io la vedo.
Eu a vejo.

Pronomes objetivos diretos
Os pronomes objetivos diretos em italiano têm duas formas, uma átona e outra tônica:

pronome sujeito	pronome objetivo direto	
	átono	tônico
io	mi	me
tu	ti	te
lei	la	lei
lui	lo	lui
Lei	La	Lei
noi	ci	noi
voi	vi	voi
loro { essi	li	loro
loro { esse	le	loro

A forma átona vem sempre antes do verbo, a forma tônica vem sempre depois:

Io vedo Carla = *Eu vejo Carla*
Io la vedo
Io vedo lei = { *Eu a vejo*

Lei mi vede.
Lei mi vede.
Ela me vê.

Noi vediamo dei film.
Noi vediamo dei film.
Estamos vendo uns filmes.

Guardiamo i programmi alla televisione.
Guardiamo i prográmi ala televisione.
Assistimos aos programas da televisão.

Leggiamo con gli occhi.
Ledjiamo con lhi óqui.
Lemos com os olhos.

L'uomo sta leggendo un giornale.
Luomo sta ledjendo un djiornale.
O homem está lendo um jornal.

> *O gerúndio*
> *O gerúndio em italiano tem apenas duas terminações:*
> *-ando, para os verbos da primeira conjugação, e -endo, para os verbos da segunda e terceira conjugações:*
>   amare – am*ando*
>   vedere – ved*endo*
>   partire – part*endo*
> *O gerúndio é utilizado também na formação do "presente progressivo":*
>   Io sto ascoltando = *Eu estou escutando*
>   Tu stai scrivendo? = *Você está escrevendo?*
>   Lei sta partendo = *Ela está partindo*

La donna non sta leggendo un giornale,
La dona non sta ledjendo un djiornale,
A mulher não está lendo um jornal,

ma una rivista.
ma una rivista.
mas uma revista.

Scriviamo con una matita o con una penna.
Scriviamo con una matita o con una pena.
Escrevemos com um lápis ou com uma caneta.

Io scrivo lettere a mano.
Io scrivo létere a mano.
Eu escrevo cartas à mão.

La segretaria sta scrivendo una lettera a macchina.
La segretária sta scrivendo una létera a máquina.
A secretária está escrevendo uma carta à máquina.

Con l'udito sentiamo
Con ludito sentiamo
Com o ouvido ouvimos

molti suoni e rumori differenti.
môlti suóni e rumôri diferênti.
muitos sons e ruídos diferentes.

Ascoltiamo la radio.
Ascoltiamo la rádio.
Escutamos rádio.

Ascoltiamo musica, notizie
Ascoltiamo música, notítzie
Ouvimos música, notícias

e avvisi pubblicitari.
e avísi publitchitári.
e anúncios publicitários.

Una signora sta cantando.
Una sinhora sta cantando.
Uma senhora está cantando.

La gente ascolta.
La djente ascolta.
As pessoas ouvem.

Quando finisce, tutti dicono: "Brava"!
Quando finiche, túti dícono: "Brava"!
Quando termina, todos dizem: "Bravo"!

"Molto bene, eccellente. Come canta bene."
"Molto bene, etchelente. Come canta bene."
"Muito bem, excelente. Como canta bem."

Si respira col naso.
Si respira col naso.
Respira-se com o nariz.

Col naso si sentono odori.
Col naso si sêntono odôri.
Com o nariz sentem-se cheiros.

Si mangia con la boca e coi denti.
Si mándjia con la boca e coi dênti.
Se come com a boca e com os dentes.

Mangiamo del pane, della carne,
Mandjiamo del pane, dela carne,
Comemos pão, carne,

della verdura e della frutta.
dela verdura e dela fruta.
verdura e fruta.

Beviamo del caffè, del tè, della birra,
Beviamo del café, del te, dela birra,
Bebemos café, chá, cerveja,

vino... e acqua.
vino... e áqua.
vinho... e água.

Luigi non beve acqua, ma vino.
Luídji non beve áqua, ma vino.
Luís não bebe água, mas vinho.

Camminiamo e corriamo
Caminiamo e corriamo
Andamos e corremos

con le gambe e i piedi.
con le gambe e i piédi.
com as pernas e com os pés.

Questi ragazzi stanno correndo
Qüésti ragátzi stano correndo
Estes rapazes estão correndo

rapidamente, però i cani corrono
rapidamente, peró i cáni corrono
depressa, porém os cães estão correndo

più rapidamente di loro.
piu rapidamente di loro.
mais depressa que eles.

Questi giovani stanno ballando.
Qüesti djióvani stano balando.
Estes jovens estão dançando.

Quando si balla si muove tutto il corpo.
Quando si bala si muove tuto il corpo.
Quando se dança mexe-se todo o corpo.

Col corpo sentiamo delle sensazioni.
Col corpo sentiamo dele sensatziôni.
Com o corpo sentimos sensações.

Sentiamo il caldo e il freddo,
Sentiamo il caldo e il fredo,
Sentimos o calor e o frio,

la fame e la sete,
la fame e la sete,
a fome e a sede,

il dolore e il piacere.
il dolore e il piatchere.
a dor e o prazer.

Ecco alcuni esempi dell'uso del pronome
Eco alcúni esêmpi deluso del pronome
Eis alguns exemplos do uso do pronome

come complemento oggetto.
come complemento odjeto.
como objeto do verbo.

    Giovanni è in campagna.
    Djiováni é in campanha.
    João está no campo.

    Guarda gli uccelli e gli alberi.
    Guarda lhi utchéli e lhi álberi.
    Olha os pássaros e as árvores.

    Li guarda.
    Li guarda.
    Olha-os.

    Guarda le nuvole.
    Guarda le núvole.
    Olha as nuvens.

    Le guarda.
    Le guarda.
    Olha-as.

    Un toro sta mangiando l'erba.
    Un toro sta mandjiando lerba.
    Um touro está comendo capim.

    La sta mangiando.
    La sta mandjiando.
    Está comendo-o.

    Giovanni non vede il toro.
    Djiováni non vede il toro.
    João não vê o touro.

Non lo vede.
Non lo vede.
Não o vê.

Però il toro vede Giovanni.
Peró il toro vede Djiováni.
Porém o touro vê João.

Lo vede.
Lo vede.
Vê-o.

Giovanni sente il toro.
Djiováni sente il toro.
João ouve o touro.

Lo sente e lo vede.
Lo sente e lo vede.
Ouve-o e o vê.

Giovanni corre verso il recinto.
Djiováni corre verso il retchinto.
João corre em direção à cerca.

Lo salta.
Lo salta.
Pula-a.

Giovanni è salvo. È contento.
Djiováni é salvo. È contento.
João está salvo. Está contente.

Ma il toro non è contento.
Ma il toro noné contento.
Mas o touro não está contente.

È scontento.
É scontento.
Está descontente.

O s- muda tudo
O s- *no início da palavra geralmente forma seu antônimo:*

contento = *contente*
scontento = *descontente*

apparire = *aparecer*
sparire = *desaparecer*

gradevole = *agradável*
sgradevole = *desagradável*

fortunato = *afortunado*
sfortunato = *desafortunado*

CONVERSAÇÃO: NUMA DISCOTECA

MARCO:
Marco:
Marco:

Vedi quella ragazza?
Vêdi qüela ragatza?
Está vendo aquela garota?

PIETRO:
Pietro:
Pedro:

Come dici?
Come dítchi?
O que você está dizendo?

> *Tratamento informal*
> *Observe que neste diálogo o tratamento entre os dois amigos é informal. Eles se tratam por* tu.

Non ti sento molto bene.
Non ti sento molto bene.
Não o estou escutando muito bem.

C'è molto rumore qui.
Tché molto rumore qüi.
Aqui tem muito barulho.

MARCO:
Vedi quella giovane?
Vêdi qüela djióvane?
Está vendo aquela moça?

PIETRO:
Quale? Ne vedo molte.
Quale? Ne vedo molte.
Qual? Estou vendo muitas.

MARCO:
Quella che sta vicino al microfono.
Qüela que sta vitchino al micrófono.
Aquela que está perto do microfone.

PIETRO:
La biondina che sta cantando
La biondina que sta cantando
A loirinha que esta cantando

o l'altra che sta suonando il piano?
o laltra que sta suonando il piano?
ou a outra que está tocando piano?

MARCO:
No, quella carina, con i capelli neri.
No, qüela carina, con i capéli nêri.
Não, aquela bonitinha, de cabelos pretos.

Porta un vestito rosso.
Porta un vestito rosso.
Com um vestido vermelho.

> **Che vestito porta?**
> *Na frase acima, o verbo* portare *significa "estar usando", "estar vestindo". Em outros contextos, o mesmo verbo pode significar "trazer", "levar".*

PIETRO:
Quella che sta ballando
Qüela que sta balando
Aquela que está dançando

con quel vecchio?
con qüel véquio?
com aquele velho?

MARCO:
Sì, quella.
Si, qüela.
Sim, aquela.

PIETRO:
È molto bella! E come balla bene!
É molto bela! E come bala bene!
É muito bonita! E como dança bem!

La conosci?
La conôchi?
Você a conhece?

MARCO:
No, non la conosco bene, sai chi è?
No, non la conosco bene, sai qui é?
Não, não a conheço bem, você sabe quem é?

Conoscere *e* sapere
Como em português, às vezes estes dois verbos podem ter sentidos bem próximos. Nunca será demais observar suas conjugações no presente do indicativo:

	conoscere *(regular)*	sapere *(irregular)*
io	conosco	so
tu	conosci	sai
lui	conosce	sa
noi	conosciamo	sappiamo
voi	conoscete	sapete
loro	conoscono	sanno

PIETRO:
No, non lo so. Tu lo sai?
No, non lo sô. Tu lo sai?
Não, não sei. Você sabe?

MARCO:
> Macché! Si capisce che non la conosco!
> **Maquê! Si capiche que non la conosco!**
> *Imagine! Claro que não a conheço!*

> Perciò sto domandando!
> **Pertchió sto domandando!**
> *Por isso estou perguntando!*

PIETRO:
> Va bene! Va bene!
> **Va bene! Va bene!**
> *Está certo! Está certo!*

> Vedo che tu sei molto interessato.
> **Vedo que tu sei molto interessato.**
> *Vejo que você está muito interessado.*

> Andiamo a vedere il mio amico Peppino.
> **Andiamo a vedere il mio amico Pepino.**
> *Vamos falar com meu amigo Peppino.*

> È uno che conosce tutti quanti.
> **É uno que conôche túti quánti.**
> *Ele conhece todo o mundo.*

TESTE O SEU ITALIANO

Numere as frases que estão em italiano conforme suas correspondentes em português. Marque 10 pontos para cada resposta correta. Veja as respostas abaixo.

1. Estou vendo você.   Sentiamo il caldo e il freddo.

2. Você está me vendo?   Vedi quella ragazza?

3. Estamos escutando o rádio.   Non ti sento molto bene.

4. Sentimos calor e frio.   Sai chi è?

5. Está vendo aquela garota?   La conosci?

6. O que você está dizendo?   Tu mi vedi?

7. Não o estou escutando muito bem.   C'è molto rumore qui.

8. Tem muito barulho aqui.   Come dici?

9. Você a conhece?   Io ti vedo.

10. Sabe quem é?   Ascoltiamo la radio.

Respostas: 4, 5, 7, 10, 9, 2, 8, 6, 1, 3

Resultado: _____ %

passo 9 PROFISSÕES E OCUPAÇÕES

Per sapere la professione di una persona
Per sapere la professione di una persona
Para saber a profissão de uma pessoa

o il posto che ha, diciamo:
o il posto que a, ditchiamo:
ou o cargo que ocupa, dizemos:

"Dove lavora Lei?"
"Dove lavora Lei?"
"Onde o senhor trabalha?"

o "Qual'è la Sua professione?"
o "Qualé la Sua professione?"
ou "Qual é a sua profissão?"

"Profissão" = **professione**
Muitas palavras italianas que terminam em -ione correspondem à categoria das palavras portuguesas terminadas em -ão. Elas são sempre femininas e formam o plural trocando o -e por -i. Eis alguns exemplos:
   união = unione *(plural* unioni*)*
   visão = visione *(plural* visioni*)*
   discussão = discussione *(plural* discussioni*)*
   televisão = televisione *(plural* televisioni*)*
   decisão = decisione *(plural* decisioni*)*

Eccone alcuni esempi:
Econe alcúni esêmpi:
Aqui estão alguns exemplos:

Un uomo d'affari lavora in un ufficio.
Un uomo dafári lavora in un ufítchio.
Um homem de negócios trabalha em um escritório.

Gli operai lavorano nelle fabbriche.
Lhi operai lavôrano nele fábrique.
Os operários trabalham nas fábricas.

I dottori curano i malati.
I dotôri cúrano i maláti.
Os médicos tratam dos doentes.

> **Curare**
> Curare *significa "tratar de", "cuidar de" e também "curar", no seu sentido clínico.*

Gli attori e le attrici
Lhi atôri e le atrítchi
Os atores e as atrizes

lavorano nel teatro o nel cinema.
lavôrano nel teatro o nel tchínema.
trabalham no teatro ou no cinema.

Un pittore dipinge quadri.
Un pitore dipindje quádri.
Um pintor pinta quadros.

Uno scrittore scrive libri.
Unoscritore scrive líbri.
Um escritor escreve livros.

Un musicista suona il piano
Un musitchista suona il piano
Um músico toca piano

o un altro strumento.
o unaltro strumento.
ou outro instrumento.

Un meccanico fa delle riparazioni.
Un mecánico fa dele riparatziôni.
Um mecânico faz consertos.

Un portalettere distribuisce la posta.
Un portalétere distribuíche la posta.
Um carteiro distribui a correspondência.

Un conducente guida un autobus o un tram.
Un condutchente güida unáutobus o un tram.
Um motorista/motorneiro dirige um ônibus ou um bonde.

Condurre
Todos os verbos que terminam em durre *têm a mesma conjugação e correspondem aos verbos portugueses que terminam em* duzir *(*condurre = conduzir; produrre = produzir; dedurre = deduzir*). No presente do indicativo seu modelo de conjugação é:*

io conduco
tu conduci
lui conduce
noi conduciamo
voi conducete
loro conducono

Un autista di tassì guida tassì.
Unautista di tassi güida tassi.
Um motorista de praça dirige um táxi.

La città
Todas as palavras oxítonas em italiano são acentuadas e são invariáveis quanto ao número.
la città – le città
la possibilitá – le possibilità.

I pompieri spengono incendi.
I pompiéri spêngono intchêndi.
Os bombeiros apagam incêndios.

Spegnere
Spegnere *é um verbo irregular (presente do indicativo:* io spengo, tu spegni, lui spegne, noi spegniamo, voi spegnete, loro spengono).

La polizia dirige il traffico
La politzia diridje il tráfico
A polícia orienta o trânsito

e arresta i criminali.
e arresta i crimináli.
e prende os criminosos.

CONVERSAÇÃO: NUMA FESTA

– Che festa piacevole!
Que festa piatchêvole!
Que festa agradável!

– Sì. Gli invitati sono molto interessanti.
Si. Lhi invitáti sono molto interessánti.
Sim. Os convidados são muito interessantes.

– È vero. La signora Facciolla
É vero. La sinhora Fatchiola
É verdade. A Sra. Facciolla

ha degli amici molto diversi.
a dêlhi amítchi molto divérsi.
tem amigos muito diferentes.

In quel grupo, lì,
In qüel grupo, li,
Naquele grupo, ali,

              Qui *e* qua
              Significam "aqui". Lì e là significam "lá" e "ali". Laggiù significa "lá embaixo". Lassù significa "lá em cima".

vicino alla finestra,
vitchino ala finestra,
perto da janela,

ci sono un avvocato, un compositore,
tchi sono unavocato, un compositore,
há um advogado, um compositor,

un ingegnere, un architetto,
unindjenhere, unarquiteto,
um engenheiro, um arquiteto,

un dentista e un giocatore di calcio.
un dentista e un djiocatore di cáltchio.
um dentista e um jogador de futebol.

– È un gruppo abbastanza vario.
É un grupo abastantza vário.
É um grupo bem variado.

– Chissà di che stanno discutendo!...
Quissá di que stano discutendo!...
Quem sabe o que estão discutindo!...

> ***Quem sabe?***
> *Além do seu significado original (*chi sa* = "quem sabe"),* chissà *pode significar "talvez", correspondendo ao "quiçá" do português.*

Di architettura, musica, legge...
Di arquitetura, música, ledje...
Sobre arquitetura, música, direito...

– Di calcio, senza dubbio.
Di cáltchio, sentza dúbio.
Sobre futebol, sem dúvida.

– Sa chi è quella bella signora?
Sa qui é qüela bela sinhora?
Você sabe quem é aquela senhora bonita?

Porta un vestito bellissimo.
Porta un vestito belíssimo.
Está com um vestido lindo.

– È una soprano dell'Opera.
É una soprano delópera.
É uma soprano de ópera.

– Si chiama Laura Ardito.
Si quiama Laura Ardito.
Ela se chama Laura Ardito.

– E i due signori che sono con lei?
E i due sinhori que sono con lei?
E os dois senhores que estão com ela?

– Il signore piuttosto anziano
Il sinhore piutosto antziano
O senhor mais velho

è un critico d'arte,
é un crítico darte,
é um crítico de arte,

e quello più giovane e più attraente
e qüelo piu djióvane e piu atraente
e aquele mais jovem e mais atraente

è un attore.
é un atore.
é um ator.

Ma guardi chi sta entrando adesso.
Ma guárdi qui sta entrando adesso.
Mas olhe quem está entrando agora.

– È Alberto Di Sicone,
É Alberto Di Sicone,
É Alberto Di Sicone,

il famoso regista.
il famoso redjista.
o famoso diretor de cinema.

– Davvero? C'è un articolo su di lui
Davero? Tché un artícolo su di lui
Verdade? Há um artigo sobre ele

nel giornale di oggi.
nel djiornale di ôdji.
no jornal de hoje.

È molto bravo, non crede?
É molto bravo, non crede?
Ele é muito bom, você não acha?

– Certo. A proposito, lo conosco.
Tcherto. A propósito, lo conosco.
Certo. Aliás, eu o conheço.

Andiamo a chiacchierare un poco con lui.
Andiamo a quiaquierare un poco con lui.
Vamos bater um papo com ele.

TESTE O SEU ITALIANO

Relacione as pessoas com as atividades que exercem. Marque 10 pontos para cada resposta correta. Veja as respostas abaixo.

1. Un uomo d'affari   guida un autobus o un tram (A)

2. I dottori   spengono incendi (B)

3. Un pittore   distribuisce la posta (C)

4. Gli operai   arresta i criminali (D)

5. Un musicista   dipinge quadri (E)

6. Un portalettere   suona il piano (F)

7. I pompieri   lavorano nel cinema (G)

8. Un conducente   lavora in un ufficio (H)

9. La polizia   lavorano nelle fabbriche (I)

10. Gli attori e le attrici   curano i malati (J)

Respostas: 1-H, 2-J, 3-E, 4-I, 5-F, 6-C, 7-B, 8-A, 9-D, 10-G.

Resultado: _____ %

passo 10 — INFORMAÇÕES SOBRE A DIREÇÃO A SEGUIR – VIAGEM DE AUTOMÓVEL

Ecco degli esempi
Eco dêlhi esêmpi
Eis alguns exemplos

del modo di dare degli ordini,
del modo di dare dêlhi órdini,
do modo de dar algumas ordens,

e anche del uso dei pronomi
e anque del uso dei pronômi
e também do uso dos pronomes

negli ordini.
nêgli órdini.
nas ordens.

L'uomo nell'automobile
Luomo nelautomóbile
O homem no automóvel

parla con un pedone.
parla con un pedone.
fala com um pedestre.

Gli domanda: "È questa
Lhi domanda: "É qüesta
Pergunta-lhe: "É este

> ***Pronome objetivo indireto***
> Gli *("lhe")* está no lugar de *"ao pedestre"*, ou *"a ele"*.

Portanto, tem a função de objeto indireto. Os pronomes objetivos indiretos também podem ser átonos ou tônicos. Os tônicos são usados após o verbo, e precedidos da preposição (a, per, etc.). Veja quais são os pronomes objetivos indiretos para as demais pessoas:

pronome sujeito	pronome átono	objeto indireto tônico
io	mi	(a) me
tu	ti	(a) te
lui	gli	(a) lui
lei	le	(a) lei
Lei	Le	(a) Lei
noi	ci	(a) noi
voi	vi	(a) voi
loro	loro	(a) loro

la via per Ostia?"
la via per Óstia?"
o caminho para Óstia?"

Il pedone gli risponde:
Il pedone lhi risponde:
O pedestre lhe responde:

"No, signore. Non è questa.
"No, sinhore. Noné qüesta.
"Não, senhor. Não é este.

Continui diritto per due isolati ancora.
Contínui dirito per due isoláti ancora.
Continue reto por mais dois quarteirões.

O imperativo para Lei *e* Voi

O imperativo é formado a partir do presente do indicativo. Para os verbos da primeira conjugação, forma-se o imperativo substituindo-se -a por -i (para Lei).

	pres. indic.	*imperativo*
parlare	Lei parla	parli
	Voi parlate	parlate

Para os verbos da segunda e da terceira conjugações, substitui-se -e por -a (para Lei) e sem variação para voi.

	pres. indic.	*imperativo*
scrivere	Lei scrive	scriva
	Voi scrivete	scrivete
sentire	Lei sente	senta
	Voi sentite	sentite

Os verbos que têm a primeira pessoa do singular do presente do indicativo em -co ou -go fazem o imperativo em -ca ou -ga (Lei).

dire – io dico	dica (Lei)
	dite (Voi)
venire – io vengo	venga (Lei)
	venite (Voi)

Verbos de imperativo irregular

essere *(ser)*	sia (Lei)
	siate (Voi)
avere *(ter)*	abbia (Lei)
	abbiate (Voi)
andare *(ir)*	vada (Lei)
	andate (Voi)
fare *(fazer)*	faccia (Lei)
	fate (Voi)

Poi, volti a sinistra,
Pói, vólti a sinistra,
Depois, dobre à esquerda,

fino al semaforo.
fino al semáforo.
até o semáforo.

Poi, prenda a destra.
Pói, prenda a destra.
Depois, pegue a direita.

Segua quella via. È la strada giusta.
Sêgua qüela via. É lastrada djusta.
Siga aquela rua. É o caminho certo.

Però faccia attenzione
Peró fátchia atentzione
Mas preste atenção

alla polizia stradale."
ala politzia stradale."
à polícia rodoviária."

Il signore lo ringrazia,
Il sinhore lo ringrátzia,
O senhor o agradece,

e continua per due isolati ancora.
e contínua per due isoláti ancora.
e continua por mais dois quarteirões.

Poi prende a sinistra
Pói prende a sinistra
Depois vira à esquerda

e continua fino al semaforo.
e contínua fino al semáforo.
e continua até o semáforo.

Infine volta a destra.
Infine volta a destra.
Por fim, dobra à direita.

Però un agente in motocicletta
Peró unadjente in mototchicleta
Porém, um policial de motocicleta

lo segue. Lo ferma.
lo següe. Lo ferma.
segue-o. Pára-o.

Gli dice: "Alt!
Lhi ditche: "Alt!
Diz-lhe: "Alto!

Mi dia la Sua patente."
Mi dia la Sua patente."
Mostre-me a sua carteira de habilitação."

Il signore gli consegna la patente.
Il sinhore lhi consenha la patente.
O senhor entrega-lhe a carteira de habilitação.

L'agente gli domanda:
Ladjente lhi domanda:
O policial pergunta-lhe:

"Perchè tanta fretta?
"Perquê tanta freta?
"Por que tanta pressa?

Mi dia anche il libretto di circolazione dell'auto."
Mi dia anque il libreto di tchirculatzione delauto."
Dê-me também o licenciamento do carro."

Il signore glielo dà.
Il sinhore lhelo da.
O senhor lho dá.

> *Quando há mais de um pronome*
> *Quando numa frase temos os dois tipos de pronome objetivo, o pronome objetivo indireto precede o pronome objetivo direto. O pronome objetivo indireto da terceira pessoa, singular e plural, forma uma só palavra com o pronome objetivo direto.*
>
> *Ela lhe diz isso* ⎫
> *Ela lho diz* ⎭ = Lei glielo dice

No caso de pronomes objetivos terminados em -i, substitui-se o -i por -e ou acrescenta-se a eles um -e quando são usados com outro pronome antes do verbo.

>diga-me = mi dica
>diga-me isso = me lo dica
>
>dê-lhe = gli dia
>dê isso a ele = glielo dia

L'agente redige il verbale di contravvenzione
L'agente redidje il verbale di contraventzione
O policial registra uma multa

e la dà al signore.
e la da al sinhore.
e a dá ao senhor.

Gli ridà la patente
Lhi ridá la patente
Devolve-lhe a carteira de habilitação

e il libretto di circolazione,
e il libreto di tchirculatzione,
e o licenciamento do carro,

dicendogli: – "Ecco qui!
ditchêndolhi: – "Eco qüi!
dizendo-lhe: – "Aqui está!

E faccia più attenzione
E fátchia piu atentzione
E preste mais atenção

>*Os usos de* **fare**
>*O verbo* fare *é muito usado em expressões idiomáticas, nas quais assume significados variados.*
>
>>fare attenzione = *prestar atenção*
>>fare un bagno = *tomar um banho*
>>fare una domanda = *fazer uma pergunta*

        fare la barba = *barbear-se*
        fare una passeggiata = *dar um passeio*

la prossima volta."
la próssima volta."
da próxima vez."

CONVERSAÇÃO: DANDO ORDENS

UNA SIGNORA:
Una sinhora:
Uma senhora:

Maria, non sente?
Maria, non sente?
Maria, não está ouvindo?

C'è qualcuno alla porta.
Tché qualcuno ala porta.
Há alguém à porta.

Apra, per favore. Chi è?
Apra, per favore. Qui é?
Abra, por favor. Quem é?

MARIA:
Maria:
Maria:

È il garzone del
É il gartzone del
É o rapaz da

negozio di generi alimentari
negótzio di djêneri alimentári
mercearia

che viene a consegnarci i viveri.
que viene a consenhártchi i víveri.
que veio entregar-nos os mantimentos.

Os pronomes ligam-se ao infinitivo
Quando usados com o infinitivo, os pronomes objetivos direto e indireto podem unir-se a ele formando uma única palavra. O infinitivo, por sua vez, perde o -e final.
Ele vem nos ver = Lui viene a vederci
　　　　　　　　Lui viene a vedere noi

LA SIGNORA:
Bene. Li metta nel frigorifero.
Bene. Li meta nel frigorífero.
Ótimo. Coloque-os na geladeira.

E dica al ragazzo di lasciare il conto
E dica al ragatzo di lachiare il conto
E diga ao rapaz para deixar a conta

sul tavolo della cucina.
sul távolo dela cutchina.
sobre a mesa da cozinha.

Ecco la lista per domani.
Eco la lista per dománi.
Aqui está a lista para amanhã.

La prenda e gliela dia, per cortesia.
La prenda e lhela dia, per cortesia.
Pegue-a e a dê ao rapaz, por gentileza.

MARIA:
Sì, signora. Subito.
Si, sinhora. Súbito.
Sim, senhora. Num instante.

LA SIGNORA:
E adesso esco.
E adesso esco.
E agora vou sair.

Vado prima dal parrucchiere,
Vado prima dal parruquiere,
Vou primeiro ao cabeleireiro,

119

Dal parrucchiere
Seguem-se algumas expressões úteis para serem usadas pelas mulheres no cabeleireiro:
 lavagem e mise-en-plis = lavaggio e messa in piega
 quente demais = troppo caldo
 mais claro = più chiaro
 mais escuro = più scuro
 manicure = manicure

Dal barbiere
E pelos homens no barbeiro:
 corte-me o cabelo = mi tagli i capelli
 não curto demais = non troppo corti
 faça-me a barba = mi faccia la barba
 uma massagem = un massaggio

e dopo vado a fare delle spese.
e dopo vado a fare dele spese.
e depois vou fazer algumas compras.

Nel frattempo, pulisca la casa
Nel fratempo, pulisca la casa
Enquanto isso, limpe a casa

e prepari il pranzo.
e prepári il prantzo.
e prepare o almoço.

Ecco due vestiti, una gonna e un abito.
Eco due vestíti, una gona e unábito.
Aqui estão dois ternos, uma saia e um vestido.

Li porti alla lavanderia a secco.
Li pórti ala lavanderia a seco.
Leve-as à lavanderia a seco.

Diamine! Ancora il telefono...
Diámine! Ancora il teléfono...
Puxa! O telefone outra vez!

Diamine!
Muitas expressões italianas que indicam surpresa, frustração ou tédio não têm uma tradução exata para o português, mas, depois de ouvi-las com certa freqüência, você será capaz de perceber seu sentido e de empregá-las. Aqui estão alguns exemplos:
   Perbacco! = *Por Baco! (deus do vinho na mitologia romana)*
   Santo cielo! = *Santo céu!*
   Santa Madonna! = *Nossa Senhora!*

Risponda, per favore... Chi è?
Risponda, per favore... Qui é?
Atenda, por favor... Quem é?

MARIA:
È il mio amico Giulio.
É il mio amico Djiúlio.
É o meu amigo Júlio.

Mi invita a ballare questa sera.
Mi invita a balare qüesta sera.
Está me convidando para dançar esta noite.

LA SIGNORA:
Ma abbiamo degli invitati!
Ma abiamo dêlhinvitáti!
Mas temos convidados!

Bene. Vada pure. Ma prima ci serva la cena.
Bene. Vada pure. Ma prima tchi serva la tchena.
Tudo bem, pode ir, mas antes sirva-nos o jantar.

TESTE O SEU ITALIANO

Verta para o italiano as frases imperativas abaixo. Marque 5 pontos para cada resposta correta. Veja a solução a seguir.

1. Venha aqui!
2. Continue em frente.
3. Não vá!
4. Dobre à direita.
5. Dobre à esquerda.
6. Diga-me!
7. Mostre-me!
8. Espere!
9. Responda!
10. Esteja atento!
11. Dê-me-o!
12. Abra-a!
13. Feche-o!
14. Pegue-a!
15. Leve-os!
16. Limpe-os!
17. Dê-lha!
18. Coloque-a aqui.
19. Faça-o!
20. Não o faça!

Respostas: 1. Venga qui! 2. Continui diritto. 3. Non vada! 4. Volti a destra. 5. Volti a sinistra. 6. Mi dica! 7. Mi mostri! 8. Aspetti! 9. Risponda! 10. Faccia attenzione! 11. Me lo dia! 12. La apra! 13. Lo chiuda! 14. La prenda! 15. Li porti! 16. Li pulisca! 17. Gliela dia! 18. La metta qui. 19. Lo faccia! 20. Non lo faccia!

Resultado: _____ %

passo 11 — DESEJOS E NECESSIDADES (QUERO, POSSO, PODERIA, PRECISO, GOSTARIA DE)

Un giovane vuole vedere
Un djióvane vuole vedere
Um jovem quer assistir

la partita di calcio,
la partita di cáltchio,
à partida de futebol,

ma non può entrare.
ma non puó entrare.
mas não pode entrar.

Perchè non può entrare?
Perquê non puó entrare?
Por que não pode entrar?

Perchè non ha il biglietto d'entrata.
Perquê non a il bilheto dentrata.
Porque ele não tem entrada.

Perchè non ne compra uno?
Perquê non ne compra uno?
Por que não compra uma?

Perchè non ha abbastanza denaro.
Perquê non a abastantza denaro.
Porque não tem dinheiro suficiente.

Senza soldi non può vedere la partita.
Sentza sóldi non puó vedere la partita.
Sem dinheiro não pode ver a partida.

Soldi *ou* denaro
Tanto soldi *como* denaro *significam dinheiro. A primeira forma é usada só no plural e a segunda, só no singular.*

Se vuole vederla, deve pagare.
Se vuole vederla, deve pagare.
Se ele quiser vê-la, terá de pagar.

Volere, potere, dovere
Volere *("querer")*, potere *("poder")*, dovere *("dever")* *podem ser usados sozinhos ou acompanhados de um outro verbo, que estará sempre no infinitivo. Esses três verbos são irregulares no presente do indicativo.*

	volere	potere	dovere
io	voglio	posso	devo
tu	vuoi	puoi	devi
lui	vuole	può	deve
noi	vogliamo	possiamo	dobbiamo
voi	volete	potete	dovete
loro	vogliono	possono	devono

Ma ecco uno dei suoi amici:
Ma eco uno dei suoi amítchi:
Mas eis um dos seus amigos:

Gli domanda: – Ho bisogno di duemila lire...
Lhi domanda: – Ó bisonho di duemila lire...
Pergunta-lhe: – Preciso de duas mil liras...

"Precisar"
Aver bisogno *significa "precisar", "ter necessidade".*
    Abbiamo bisogno di sapone e asciugamani.
    Precisamos de sabão e toalha.
Bisognare *significa "ser necessário" ou "ser preciso". É usado na terceira pessoa do singular, pois é um verbo impessoal.*
    Bisogna andare via.
    É preciso ir embora.

per vedere la partita.
per vedere la partita.
para ver a partida.

Puoi prestarmele?
Puói prestármele?
Pode me emprestar?

– Dipende... quando puoi ridarmele?
Dipende... quando puói ridármele?
Depende... quando você pode devolver?

– Oh, domani, certamente. Parola d'onore!
O, dománi, tchertamente. Parola donore!
Oh, amanhã, com certeza. Palavra de honra!

– La mia auto non può andare avanti.
La mia auto non puó andare avánti.
O meu carro não pode andar.

> **Per la sua automobile**
> *Eis algumas expressões-chave quando se trata de carros:*
>
> *Encha o tanque* = Faccia il pieno
> *Verifique o óleo* = Verifichi l'olio
> *Verifique a pressão* = Verifichi la pressione
> *Verifique a bateria* = Verifichi la batteria
> *Isto não está funcionando. Pode consertá-lo?* = Questo non funziona. Lo può riparare?
> *Este pneu precisa ser trocado* = Bisogna cambiare questa gomma
> *Quanto tempo é preciso esperar?* = Quanto tempo bisogna aspettare?

– Non sa perchè?
Non sa perquê?
Não sabe por quê?

– Perchè non c'è benzina nel serbatoio.
Perquê non tché bendzina nel serbatóio.
Porque não há gasolina no tanque.

Quando non c'è benzina nel serbatoio,
Quando non tché bendzina nel serbatóio,
Quando não há gasolina no tanque,

il motore non può funzionare.
il motore non puó funtzionare.
o motor não pode funcionar.

Bisogna metterci della benzina.
Bisonha métertchi dela bendzina.
É necessário pôr gasolina (nele).

> **Ci – *uma palavra muito importante***
> Ci *significa "nos", "a nós", mas também é uma partícula que substitui um lugar. Nesse caso, pode significar "aqui", "ali", "lá", "neste lugar", "naquele lugar", etc.*
>
> *Você vai à festa? Sim, vou (lá)* = Vai alla festa? Sì, ci vado.
>
> *Todavia,* ci *não pode substituir "daqui", "dali", "de lá", "deste lugar", "daquele lugar". Nesse caso, usamos* ne.
>
> *Vou-me embora (daqui.)* = Io me ne vado.

– Dove si può comprare della benzina?
Dove si puó comprare dela bendzina?
Onde se pode comprar gasolina?

– Se ne può comprare a una stazione di servizio.
Se ne puó comprare a una statzione di servítzio.
Pode-se comprar num posto de gasolina.

– Ce n'è una qui vicino?
Tche né una qüi vitchino?
Há um (posto de gasolina) aqui perto?

Due ragazze
Due ragatze
Duas garotas

sono in difficoltà.
sono in dificoltá.
estão em dificuldades.

Un pneumatico della loro macchina è forato.
Un pneumático dela loro máquina é forato.
Um pneu do carro delas está furado.

Esse non possono cambiare la ruota
Esse non póssono cambiare la ruota
Elas não podem trocar o pneu

perchè non hanno un cric.
perquê non ano un cric.
porque não têm macaco.

Ma ecco un giovane
Ma eco un djióvane
Mas um rapaz

che arriva in una macchina sportiva.
que arriva in una máquina sportiva.
está chegando num carro esporte.

Domanda loro: "Vi posso aiutare?"
Domanda loro: "Vi posso aiutare?"
Pergunta-lhes: "Posso ajudar (vocês)?"

"Certamente, Lei può prestarci un cric?"
"Tchertamente, Lei puó prestártchi un cric?"
"Com certeza. Pode emprestar-nos um macaco?"

"Ma posso fare ancora di più", dice lui.
"Ma posso fare ancora di piu", ditche lui.
"Mas eu posso fazer mais ainda", diz ele.

"Posso cambiare la ruota io stesso."
"Posso cambiare la ruota io stesso."
"Eu mesmo posso trocar o pneu."

CONVERSAÇÃO: UM PROGRAMA DE TELEVISÃO

FRANCO:
Che peccato! Stasera danno
Que pecato! Stassera dano
Que pena! Esta noite vai passar

un programma molto interessante
un programa molto interessante
um programa muito interessante

alla televisione. Ma, sfortunatamente,
ala televisione. Ma, sfortunatamente,
na televisão. Mas, infelizmente,

non posso vederlo, perchè
non posso vederlo, perquê
não posso vê-lo, porque

il mio apparecchio non funziona.
il mio aparêquio non funtziona.
o meu televisor não está funcionando.

Devo farlo riparare.
Devo farlo riparare.
Preciso mandar consertá-lo.

Outro uso de fare
Fare *seguido do infinitivo de outro verbo equivale a "mandar", ou seja, fazer com que a ação expressa pelo segundo verbo seja executada.*
    Vuole far stirare questo?

Quer mandar passar isto?

Vuole far portare la colazione?
Quer mandar trazer o café da manhã?

ALBERTO:
Ma perchè non chiama il servizio di riparazioni?
Ma perquê non quiama il servítzio di riparatziôni?
Mas por que não chama a assistência técnica?

FRANCO:
A quale scopo? Lei sa
A quale scopo? Lei sa
Para quê? O senhor sabe

che non possono mai venire subito.
que non póssono mai venire súbito.
que eles nunca podem vir na hora.

> ***Mais uma vez a dupla negação***
> *Construções com* mai *("nunca") também apresentam uma dupla negação –* non... mai –, *como nos casos de* niente *e* nessuno, *que vimos no Passo 4.*

ALBERTO:
Allora, se vuole proprio vedere
Alora, se vuole próprio vedere
Então, se deseja ver mesmo

questo programma, venga da me.
qüesto programa, venga da me.
este programa, venha a minha casa.

FRANCO:
Questo è molto gentile da parte Sua.
Qüesto é molto djentile da parte Sua.
É muita gentileza sua.

Ma non vorrei disturbarLa.
Ma non vorrei disturbarLa.
Mas não gostaria de incomodá-lo.

> **Vorrei**
> Vorrei *é a forma condicional do verbo* volere, *que veremos adiante. Mas aqui ele se apresenta como uma forma polida de se pedir ou declarar alguma coisa. Corresponde a "gostaria", em português.*

ALBERTO:
Ma che dice! Che disturbo?
Ma que ditche! Que disturbo?
Não diga isso! Que incômodo?

Anzi! Possiamo vedere il programma insieme!
Ántzi! Possiamo vedere il programa insieme!
Aliás! Podemos ver o programa juntos!

A proposito, che tipo di programma è?
A propósito, que tipo de programa é?
A propósito, que tipo de programa é?

FRANCO:
Come? Non lo sa? È il Festival di San Remo,
Come? Non lo sa? É il Féstival di San Remo,
Como? Não sabe? É o Festival de San Remo,

con tutte le nuove canzoni di quest'anno.
con tute le nuove cantzoni di qüestano.
com todas as novas canções deste ano.

ALBERTO:
A che ora comincia?
A que ora comíntchia?
A que horas começa?

FRANCO:
Alle nove precise.
Ale nove pretchise.
Às nove horas em ponto.

ALBERTO:
Allora, possiamo mangiare qualche cosa prima.
Alora, possiamo mandjiare qualque cosa prima.
Então, podemos comer alguma coisa antes.

Vuole tenermi compagnia a cena?
Vuole tenêrmi companhia a tchena?
Quer me acompanhar no jantar?

FRANCO:
Volentieri! Ma vorrei invitarLa io.
Volentiéri! Ma vorrei invitarLa io.
Com prazer! Mas eu gostaria de convidá-lo.

ALBERTO:
Ma no, La prego!
Ma no, La prego!
Nada disso! Faça o favor!

FRANCO:
Ma sì, insisto.
Ma si, insisto.
Mas eu insisto.

ALBERTO:
In questo caso, se insiste,
In qüesto caso, se insiste,
Nesse caso, se insiste,

non posso rifiutare.
non posso rifiutare.
não posso recusar.

FRANCO:
Allora, siamo d'accordo.
Alora, siamo dacordo.
Então, estamos de acordo.

Entriamo in questa piccola trattoria.
Entriamo in qüesta pícola tratoria.
Entremos nesta pequena cantina.

> **Trattoria – ristorante**
> *A diferença entre* trattoria *e* ristorante *é que* trattoria *é menor, geralmente dirigida por uma família e oferece comida mais "caseira".*

Non è molto cara e si mangia benissimo.
Noné é molto cara e si mándjia beníssimo.
Não é muito cara e come-se muito bem.

ALBERTO:
Bisogna mangiare un pò alla svelta,
Bisonha mandjiare un pó ala svelta,
É preciso comer com certa rapidez,

se non vogliamo perdere
se non volhiamo pérdere
se não quisermos perder

l'inizio del programma.
linítzio del programa.
o início do programa.

> ***Masculino terminado em* -a.**
> *Assim como o português, o italiano tem palavras que terminam em* -a *e são masculinas e, portanto, fazem o plural em* -i:
> il programma – i programmi
> il problema – i problemi
> il tema – i temi

TESTE O SEU ITALIANO

Traduza as seguintes frases para o português. Marque 10 pontos para cada resposta correta. Veja a solução a seguir.

1. Ho bisogno di soldi.

2. Bisogna pagare.

3. Siamo d'accordo.

4. Vuole tenermi compagnia a cena?

5. Puoi prestarmi duemila lire?

6. Non vorrei disturbarLa.

7. Vorrei vedere la partita.

8. Venga da me.

9. Perchè non compra un biglietto?

10. Perchè non ha abbastanza denaro.

Resultado: _____ %

Respostas: 1. Preciso de dinheiro. 2. É preciso pagar. 3. Estamos de acordo. 4. Quer me acompanhar no jantar? 5. Pode me emprestar duas mil liras? 6. Não gostaria de incomodá-lo. 7. Gostaria de ver a partida. 8. Venha à minha casa. 9. Por que não compra uma entrada? 10. Porque não tem dinheiro suficiente.

passo 12 — USO DOS VERBOS REFLEXIVOS

Il signor Capobianco si alza di buon'ora.
Il sinhore Capobianco si altza di buonora.
O Sr. Capobianco se levanta cedo.

Si lava i denti e la faccia,
Si lava i dênti e la fátchia,
Escova os dentes e lava o rosto,

e si fa la barba.
e si fa la barba.
e faz a barba.

> *Verbos reflexivos*
> Si alza e si veste *são exemplos de verbos pronominais reflexivos* (alzarsi e vestirsi), *isto é, verbos que indicam uma ação que recai sobre o próprio sujeito.*
>
> **Farsi la barba**
> Farsi la barba *é "barbear-se", "fazer a (própria) barba".*
> Farsi fare la barba *é "mandar alguém fazer-lhe a barba".*

Poi si veste.
Pói si veste.
Depois se veste.

Un po' più tardi si alzano i bambini.
Un pó piu tárdi si áltzano i bambíni.
Um pouco mais tarde as crianças se levantam.

Si lavano, si pettinano i capelli
Si lávano, si pétinano i capéli
Lavam-se e penteiam os cabelos

> **Uso dos possessivos**
> *O possessivo geralmente não é usado quando nos referimos a partes do nosso corpo usando um verbo reflexivo.*

e si vestono in fretta.
e si véstono in freta.
e se vestem apressadamente.

Allora, si mettono a tavola
Alora, si mêtono a távola
Então, sentam-se à mesa

per fare colazione.
per fare colatzione.
para tomar o café da manhã.

Per la prima colazione,
Per la prima colatzione,
Para o café da manhã,

> **As refeições do dia**
> *Na Itália existem três refeições principais:* la (prima) colazione *("o café da manhã"),* il pranzo *("o almoço") e* la cena *("o jantar"). Existem outras duas refeições intermediárias, que não são de uso tão generalizado:* lo spuntino *("o aperitivo"), que é feito antes do almoço, por volta das 11 horas; e* la merenda *("o lanche"), feita à tarde, por volta das 16 horas.*

prendono del succo d'arancia
prêndono del suco darántchia
tomam suco de laranja

e dei biscotti con una
e dei biscóti con una
e biscoitos com uma

tazza di caffelatte.
tatza di cafelate.
xícara de café com leite.

Dopo la colazione, il signor Capobianco
Dopo la colatzione, il sinhor Capobianco
Depois do café da manhã, o Sr. Capobianco

si mette il cappotto e il cappello
si mete il capoto e il capelo
veste o casaco e põe o chapéu

e va in ufficio.
e va in ufítchio.
e vai para o escritório.

I bambini si mettono
I bambíni si mêtono
As crianças vestem

i cappotti e i berretti,
i capóti e i berréti,
os casacos e as boinas,

prendono le cartelle
prêndono le cartele
pegam as mochilas

e vanno a scuola.
e vano a scuola.
e vão para a escola.

Adesso, la signora Capobianco
Adesso, la sinhora Capobianco
Agora, a Sra. Capobianco

si sente stanca: si ricorica
si sente stanca: si ricórica
sente-se cansada: volta para a cama

> ***Ir para a cama***
> Andare a letto e coricarsi *é "ir para a cama"*.
> Ricoricarsi, *portanto, é "voltar para a cama"*.

e subito si addormenta di nuovo.
e súbito si adormenta di nuovo.
e logo adormece outra vez.

In Italia la seconda colazione
In Itália la seconda colatzione
Na Itália o almoço

si fa generalmente
si fa djeneralmente
se faz geralmente

fra l'una e le tre.
fra luna e le tre.
entre uma e três horas.

La maggior parte della gente
La madjior parte dela djente
A maior parte das pessoas

> **Gente**
> Gente *pode significar "pessoas" ou "gente". Como em português, é uma palavra feminina e singular, mas inclui muitas pessoas de ambos os sexos.*

spesso ritorna a casa per mangiare,
spesso ritorna a casa per mandjiare,
com freqüência volta para casa para comer,

e poi ritorna in ufficio nel pomeriggio.
e pói ritorna in ufítchio nel pomerídjio.
e depois volta para o escritório à tarde.

I negozi chiudono di solito
I negótzi quiúdono di sólito
O comércio fecha geralmente

dall'una alle quattro.
daluna ale quatro.
da uma às quatro.

E poi riaprono
E pói riáprono
E depois reabre

e rimangono aperti fino alle otto.
e rimángono apérti fino ale oto.
e permanece aberto até às oito horas.

Poi la gente torna a casa o
Pói la djente torna a casa o
Depois, as pessoas voltam para casa ou

va a al ristorante o in trattoria.
va a al ristorante o in tratoria.
vão a algum restaurante ou cantina.

Altri prendono un caffè
Áltri prêndono un café
Outros tomam um café

o un aperitivo
o unaperitivo
ou um aperitivo

in un caffè all'aperto
in un café alaperto
em um café ao ar livre

per conversare con gli amici
per conversare con lhi amítchi
para conversar com os amigos

e per vedere passare la gente
e per vedere passare la djente
e para ver as pessoas passar

per il corso, di sera.
per il corso, di sera.
pela avenida, à noite.

CONVERSAÇÃO: INDO A UMA REUNIÃO DE NEGÓCIOS

– Faccia presto.
Fátchia presto.
Seja rápido.

Dobbiamo andarcene adesso.
Dobiamo andártchene adesso.
Precisamos ir embora agora.

> **Um verbo + dois pronomes**
> *O verbo* andarsene *(*andare + si + ne*) significa "ir embora". Por razões de ordem fonética, o pronome reflexivo* si *transforma-se em* se *quando é colocado antes de* ne*. O mesmo ocorre com* ci *(*andare + ci + ne = andarcene*).*

Non vogliamo arrivare tardi
Non volhiamo arrivare tárdi
Não queremos chegar tarde

alla riunione.
ala riunione.
à reunião.

– Non si preoccupi.
Non si preócupi.
Não se preocupe.

Abbiamo ancora mezz'ora.
Abiamo ancora medzora.
Temos ainda meia hora.

Non vogliamo arrivare troppo presto.
Non volhiamo arrivare tropo presto.
Não queremos chegar cedo demais.

– Vediamo – Lei s'incarica
Vediamo – Lei sincárica
Vejamos – Você se encarrega

di portare i documenti, vero?
di portare i documênti, vero?
de levar os documentos, certo?

– Sì, ecco la corrispondenza
Si, eco la corrispondentza
Sim, aqui está a correspondência

concernente il contratto.
contchernente il contrato.
referente ao contrato.

– Ma il contratto stesso?
Ma il contrato stesso?
Mas e o (próprio) contrato?

Dio mio! Dov'è?
Dio mio! Dové?
Meus Deus! Onde está?

– È Lei che ce l'ha.
É Lei que tche la.
É você que está com ele.

>   *Soa melhor*
>   Nesta frase, ce *está em lugar de* ci, *significando localização ("o documento está com você".) Por uma questão de fonética, o* ci *transforma-se em* ce *antes de outro pronome (no caso,* l'*).*

– Ah, sì; ora mi ricordo.
A, si; ora mi ricordo.
Ah, sim; agora estou lembrando.

Mi aspetti qui.
Mi aspéti qüi.
Espere-me aqui.

Vado a cercare un tassì.
Vado a tchercare un tassi.
Vou procurar um táxi.

> *Um dos modos de falar no futuro*
> *Pode-se falar de planos futuros usando o verbo* andare a + *o infinitivo do verbo, numa estrutura semelhante ao português (ir + infinitivo).*
>
> Domani andiamo a visitare i Musei Vaticani.
> *Amanhã vamos visitar os Museus do Vaticano.*
>
> *O tempo futuro só será apresentado no Passo 17.*

– Non si disturbi.
Non si distúrbi.
Não se incomode.

> *Um uso particular dos verbos reflexivos*
> *Muitos verbos reflexivos indicam estados emocionais:* disturbarsi *("incomodar-se"),* preoccuparsi *("preocupar-se"),* calmarsi *("acalmar-se"),* arrabbiarsi *("zangar-se"),* agitarsi *("agitar-se").*

Me ne occupo io.
Me ne ócupo io.
Eu cuido disso.

Ecco: ce n'è uno che aspetta
Eco: tche ne uno que aspeta
Pronto. Há um esperando

giù, davanti all'entrata.
djiú, davánti alentrata.
lá embaixo, em frente à entrada.

– Benone. Andiamo via dunque,
Benone. Andiamo via dunque,
Ótimo. Vamos embora então,

e subito.
e súbito.
e já.

– Ma si calmi, caro amico!
Ma si cálmi, caro amico!
Mas acalme-se, caro amigo!

E soprattutto
E sopratuto
E principalmente

non si agiti
non si ádjiti
não fique agitado

durante la riunione.
durante la riunione.
durante a reunião.

TESTE O SEU ITALIANO

Verta as frases para o italiano usando os verbos reflexivos. Marque 10 pontos para cada resposta correta. Veja a solução a seguir.

1. Eles se levantam cedo.

2. Ele se barbeia.

3. Ele lava o rosto.

4. Ela se sente cansada.

5. Adormece.

6. Não se preocupe.

7. Seja rápido.

8. Não fique agitado.

9. Não se incomode.

10. Acalme-se.

_____

Respostas: 1. Si alzano di buon'ora. 2. Si fa la barba. 3. Si lava la faccia. 4. Si sente stanca. 5. Si addormenta. 6. Non si preoccupi. 7. Faccia presto. 8. Non si agiti. 9. Non si disturbi. 10. Si calmi.

Resultado: _____ %

passo 13 PREFERÊNCIAS E OPINIÕES

Siamo alla spiaggia.
Siamo ala spiádjia.
Estamos na praia.

Tre ragazze
Tre ragatze
Três garotas

sono sedute sulla spiaggia.
sono sedute sula spiádjia.
estão sentadas na praia.

Non vogliono nuotare.
Non vólhono nuotare.
Elas não querem nadar.

L'acqua è fredda.
Láqua é freda.
A água está fria.

Il sole è caldo.
Il sole é caldo.
O sol está quente.

E preferiscono stare al sole.
E preferíscono stare al sole.
E elas preferem ficar ao sol.

Una di loro porta
Una di loro porta
Uma delas usa

un costume da bagno rosso.
un costume da banho rosso.
um maiô vermelho.

Il costume dell'altra è verde.
Il costume delaltra é verde.
O maiô da outra é verde.

Masculino / feminino
Observe a variação dos adjetivos terminados em -e quanto ao gênero e ao número. Tomamos como modelo o adjetivo grande.

	singular	plural
masc.	un ragazzo grande	dei ragazzi grandi
fem.	una ragazza grande	delle ragazze grandi

Il bikini della terza è bianco.
Il biquíni dela tertza é bianco.
O biquíni da terceira é branco.

Il cielo è azzurro chiaro
Il tchielo é adzurro quiaro
O céu é azul-claro

con nuvole bianche.
con núvole bianque.
com nuvens brancas.

Il mare è azzurro scuro.
Il mare é adzurro scuro.
O mar é azul-escuro.

Davanti alle ragazze
Davánti ale ragatze
Em frente às garotas

alcuni giovanotti stanno suonando
alcúni djiovanóti stano suonando
alguns rapazes estão tocando

la chitarra e cantando canzoni.
la quitarra e cantando cantzôni.
violão e cantando canções.

Le ragazze stanno ascoltando la musica.
Le ragatze stano ascoltando la música.
As garotas estão escutando a música.

A loro piace sentire la musica,
A loro piatche sentire la música,
Elas gostam de ouvir a música,

> **Le piace?** = *"gosta?"*
> Piacere *significa "gostar", mas seu uso é semelhante ao de "agradar", com esse sentido, em português.*
>
> > Le piace la musica?
> > *O senhor gosta de música?*
> > *Agrada-lhe a música?*
> >
> > Mi piacciono i vini francesi.
> > *Gosto dos vinhos franceses.*
> > *Agradam-me os vinhos franceses.*
>
> *Observe que o sujeito é aquilo de que se gosta, ou seja, "a música" no primeiro exemplo e "os vinhos franceses" no segundo.*

ed ai giovanotti piace suonare.
edai djiovanóti piatche suonare.
e os rapazes gostam de tocar.

La ragazza bionda dice alla bruna:
La ragatza bionda ditche ala bruna:
A garota loira diz à morena:

"Cantano bene, non credi?"
"Cántano bene, non crêdi?"
"Eles cantam bem, não acha?"

"Certo", risponde la bruna.
"Tcherto", risponde la bruna.
"É verdade", responde a morena.

"Cantano bene tutti quanti,
"Cántano bene túti quánti,
"Todos eles cantam bem,

però quello nel mezzo canta meglio di tutti."
peró qüelo del medzo canta melho di túti."
mas aquele do meio canta melhor."

Comparativo de superioridade dos advérbios
Constrói-se com più *("mais"):*

piano = *devagar*
più piano = *mais devagar*

Bene *e* male *são irregulares:*

bene = *bem*
meglio = *melhor*

male = *mal*
peggio = *pior*

Superlativo
O grau superlativo é formado pelo acréscimo de -issimo.

pianissimo
benissimo

"Ti sbagli", dice la bionda.
"Tisbálhi", ditche la bionda.
"Está enganada", diz a loira.

"Quello a destra canta meglio."
"Qüelo a destra canta melho."
"Aquele à direita canta melhor."

Dopo un poco i giovanotti smettono di cantare.
Dopo un poco i djiovanóti smêtono di cantare.
Pouco depois os rapazes param de cantar.

Uno dice all'altro:
Uno ditche alaltro:
Um diz ao outro:

"Sono carine quelle ragazze, no?
"Sono carine qüele ragatze, no?
"São bonitas aquelas garotas, não?

Mi piace di più la bruna."
Mi piatche di piu la bruna."
Eu gosto mais da morena."

"Macchè!" dice l'altro.
"Maquê!" ditche l'altro.
"Que nada!" diz o outro.

"La bionda è più carina della bruna."
"La bionda é piu carina dela bruna."
"A loira é mais bonita que a morena."

Comparativo e superlativo dos adjetivos
Forma-se o comparativo de superioridade dos adjetivos com più *e o superlativo relativo com* il più:

grande = *grande*
più grande = *maior*
il più grande = *o maior*

Buono *e* cattivo *são irregulares quanto à formação do comparativo e superlativo relativo:*

buono = *bom*　　　　　cattivo = *mau*
migliore = *melhor*　　　peggiore = *pior*
il migliore = *o melhor*　il peggiore = *o pior*

Observe que na comparação usa-se più... di.

Paolo é più alto di Mario.
Paulo é mais alto que Mário.

Il terzo dice: "Non è vero!
Il tertzo ditche: "Non é vero!
O terceiro diz: "Não é verdade!

La rossa è la più carina di tutte."
La rossa é la piu carina di tute."
A ruiva é a mais bonita de todas."

CONVERSAÇÃO: FAZENDO COMPRAS

UNA SIGNORA:
Una sinhora:
Uma senhora:

Dobbiamo comprare alcuni regali
Dobiamo comprare alcúni regáli
Temos que comprar alguns presentes

per gli amici e la famiglia.
per lhi amítchi e la familha.
para os amigos e para a família.

Ecco un buon negozio. Entriamo?
Eco un buon negótzio. Entriamo?
Olha uma boa loja. Vamos entrar?

LA COMMESSA:
La comessa:
A vendedora:
Desidera qualcosa, signora?
Desídera qualcosa, sinhora?
Deseja alguma coisa, senhora?

LA SIGNORA:
Per favore, ci mostri
Per favore, tchi móstri
Por favor, mostre-nos

alcune sciarpe di seta.
alcune chiarpe di seta.
algumas echarpes de seda.

LA COMMESSA:
   Eccone due, signora,
   Econe due, sinhora,
   Aqui estão duas (delas), senhora,

> **Eccone = Ecco ne**
> *Na frase* Eccone due, *o* ne *está em lugar de* sciarpe di seta.

una nera e bianca
una nera e bianca
uma preta e branca

e l'altra verde e blù.
e laltra verde e blu.
e outra verde e azul.

> **Blù**
> *O adjetivo* blù *é invariável. Ele mantém a mesma forma para o masculino e o feminino, singular e plural.*

Le piacciono?
Le piátchiono?
A senhora gosta?

LA SIGNORA:
Mi piace questa qui.
Mi piatche qüesta qüi.
Eu gosto desta aqui.

I colori sono più vivaci,
I colôri sono piu vivátchi,
As cores são mais vivas,

e il disegno è più bello.
e il disenho é piu belo.
e a estampa é mais bonita.

Quanto costa?
Quanto costa?
Quanto custa?

LA COMMESSA:
Duemila e novecentocinquanta lire, signora.
Duemila e novetchentotchinquanta lire, sinhora.
Duas mil, novecentos e cinqüenta liras, senhora.

LA SIGNORA:
Cielo! È abbastanza caro!
Tchielo! É abastantza caro!
Céus! É bem caro!

Non ha qualcosa di meno caro?
Non a qualcosa di meno caro?
A senhora não tem alguma coisa menos cara?

LA COMMESSA:
Sì, signora. Però non è di seta pura.
Si, sinhora. Peró noné di seta pura.
Sim, senhora. Mas não é de seda pura.

Come trova queste?
Come trova qüeste?
O que acha destas?

Vengono in giallo, in rosa,
Vêngono in djialo, in rosa,
Tem amarelo, rosa,

violetto e altri colori.
violeto e áltri colôri.
violeta e outras cores.

Ed in più, sono meno care,
Ed in piu, sono meno care,
E, além do mais, são menos caras,

duemila e mille e cinquecento lire.
duemila e mile e tchinqüetchento lire.
duas mil e mil e quinhentas liras.

LA SIGNORA:
Non sono tanto belle
Non sono tanto bele
Não são tão bonitas

quanto le altre.
quanto le altre.
quanto as outras.

Comunque, compriamo questa violetta
Comunqüe, compriamo qüesta violeta
Em todo caso, vamos comprar esta violeta

per la zia Isabella.
per la tzia Isabela.
para a tia Isabela.

IL SIGNORE:
D'accordo. E adesso,
Dacordo. E adesso,
Está bem. E agora,

> **D'accordo**
> *É uma expressão idiomática que pode significar "está bem", "tudo bem", "concordo".*

che compriamo per la mamma?
que compriamo per la mama?
o que compraremos para a mamãe?

LA COMMESSA:
Guardi questa bella collana, signore.
Guárdi qüesta bela colana, sinhore.
Olhe este belo colar, senhor.

Costa solo dieci mila lire.
Costa solo diétchi mila lire.
Custa somente dez mil liras.

È molto bella, non Le pare?
É molto bela, non Le pare?
É muito bonito, não acha?

IL SIGNORE:
  Sì, è vero.
  Si, é vero.
  Sim, é verdade.

LA SIGNORA:
  La compriamo, caro?
  La compriamo, caro?
  Vamos comprá-lo, querido?

IL SIGNORE:
  Sì, perchè no?
  Si, perquê no?
  Sim, por que não?

LA SIGNORA:
  La prendiamo.
  La prendiamo.
  Vamos levar.

IL SIGNORE:
  Ed ora, vorrei comprare
  Edora, vorrei comprare
  E agora, gostaria de comprar

> **E = ed**
> *Quando o e é seguido de vogal, pode-se acrescentar a ele o chamado -d eufônico, evitando o encontro de duas vogais. O mesmo pode-se fazer com a preposição a e com a conjunção o ("ou").*

qualche cosa per la mia segretaria.
qualque cosa per la mia segretária.
alguma coisa para a minha secretária.

Quei grandi orecchini –
Qüei grándi orequíni –
Aqueles brincos grandes –

me li può mostrare?
me li puó mostrare?
pode me mostrar?

LA COMMESSA:
Certamente, signore.
Tchertamente, sinhore.
É claro, senhor.

Sono d'oro e sono molto belli.
Sono doro e sono molto béli.
São de ouro e muito bonitos.

LA SIGNORA:
Alfredo, per l'amor del cielo!
Alfredo, per lamor del tchielo!
Alfredo, pelo amor de Deus! [do céu]

> *A supressão fonética do* -e
> *O italiano tende a suprimir o* -e *final de algumas palavras, como dos verbos no infinitivo, para tornar a frase mais harmoniosa foneticamente. É o caso de* amore, *na anterior, que se transformou em* amor.

Non possiamo spendere
Non possiamo spêndere
Não podemos gastar

tanto denaro in regali.
tanto denaro in regáli.
tanto dinheiro em presentes.

In ogni caso, quegli orecchini
In ônhi caso, qüêlhi orequíni
Em todo caso, aqueles brincos

non si possono portare in ufficio.
non si póssono portare inufítchio.
não são adequados para se usar no escritório.

Perchè non comprare
Perquê non comprare
Por que não comprar

quella spilla d'argento
qüela spila dardjento
aquele broche de prata

nella forma della lupa romana?
nela forma dela lupa romana?
com a forma da loba romana?

> **La lupa romana**
> *É a loba que, segundo a mitologia romana, teria amamentado Rômulo e Remo, legendários fundadores de Roma.*

È un bel ricordo di Roma,
É un bel ricordo di Roma,
É uma boa lembrança de Roma,

è pratico ed originale.
é prático edoridjinale.
é prático e original.

IL SIGNORE:
Va bene, prendo la spilla.
Va bene, prendo la spila.
Está bem, levo o broche.

159

LA COMMESSA:
Signora, non vuole vedere gli orecchini?
Sinhora, non vuole vedere lhi orequíni?
Senhora, não quer ver os brincos?

Sono molto belli, no?
Sono molto béli, no?
São muito bonitos, não?

LA SIGNORA:
Sì, sono magnifici!
Si, sono manhífitchi!
Sim, são magníficos!

Però suppongo che sono molto cari.
Peró supongo que sono molto cári.
Mas imagino/suponho que sejam muito caros.

Supporre
Suppongo *é a primeira pessoa do singular do presente do indicativo do verbo* supporre, *que, como muitos outros, é formado a partir do verbo* porre *("pôr")*.
Compare-os no presente do indicativo:

	porre	supporre
io	pongo	suppongo
tu	poni	supponi
lui	pone	suppone
noi	poniamo	supponiamo
voi	ponete	supponete
loro	pongono	suppongono

LA COMMESSA:
Abbastanza, però sono fra i migliori.
Abastantza, peró sono fra i milhóri.
Mais ou menos, mas são dos melhores.

Valgono ventotto mila lire.
Válgono ventoto mila lire.
Valem vinte e oito mil liras.

IL SIGNORE:
  Non importa.
  Non importa.
  Não importa.

  Li compro per la mia moglie.
  Li compro per la mia molhe.
  Compro-os para a minha mulher.

LA SIGNORA:
  Che delizia!
  Que delítzia!
  Que bom!

  Grazie mille, amore mio.
  Grátzie mile, amore mio.
  Muito obrigada, meu amor.

A posição do possessivo
O possessivo pode ser usado antes ou depois do substantivo. Quando usado depois, torna-se mais enfático.

TESTE O SEU ITALIANO

Preencha com as formas verbais corretas. Marque 10 pontos para a resposta correta. Veja a solução ao final.

1. Vamos entrar?
   _____?

2. Deseja alguma coisa, senhora?
   _____ , signora?

3. A senhora gosta delas?
   Le _____ ?

4. Eu gosto deste.
   Mi _____ questo.

5. Vamos comprá-lo?
   Lo _____?

6. Vamos levá-lo?
   Lo _____?

7. A senhora pode mostrá-los?
   Me li _____ _____?

8. Eu gosto mais da loira.
   Mi _____ di più la bionda.

9. Eu gostaria de comprar alguma coisa.
   _____ _____ qualche cosa.

10. Nós devemos comprar alguns presentes
   _____ _____ alcuni regali.

Respostas: 1. Entriamo 2. Desidera 3. piaccione 4. piace 5. compriamo 6. prendiamo 7. può mostrare 8. piace 9. Vorrei comprare 10. Dobbiamo comprare

Resultado: _____ %

passo 14 — COMPRAS NO MERCADO E NOMES DE ALIMENTOS

Una signora va al mercato.
Una sinhora va al mercato.
Uma senhora vai ao mercado.

Va a comprare della carne,
Va a comprare dela carne,
Vai comprar carne,

dei legumi e della frutta,
dei legúmi e dela fruta,
legumes e fruta,

> **Ricordi!**
> *Lembre-se de que, ao se enumerar uma lista de alimentos ou outras coisas, pode-se usar a preposição partitiva di, simples ou em contração com o artigo definido. Neste caso, ela tem o sentido aproximado de "algum", mas dispensa tradução.*

degli spaghetti, del pesce e del pane.
dêlhi spaguéti, del peche e del pane.
espaguete, peixe e pão.

Va prima dal macellaio.
Va prima dal matchelaio.
Vai primeiro ao açougue.

> **Da**
> *A preposição da significa também "à casa de" ou "ao lugar de trabalho de".*

da me = *em casa, para casa*
da Roberto = *à casa de Roberto*
dal macellaio = *ao açougue, ao açougueiro (ao lugar de trabalho do açougueiro)*

Domanda al macellaio:
Domanda al matchelaio:
Pergunta ao açougueiro:

"Ha del vitello ben tenero?"
"A del vitelo ben tênero?"
"O senhor tem vitelo bem macio?"

Il macellaio le risponde: "Certamente, signora.
Il matchelaio le risponde: "Tchertamente, sinhora.
O açougueiro lhe responde: "Claro, senhora.

Quanti chili vuole?"
Quánti quíli vuole?"
Quantos quilos deseja?"

"Uno solo, per favore", dice la signora.
"Uno solo, per favore", ditche la sinhora.
"Apenas um, por favor", diz a senhora.

Compra anche un pollo e delle bistecche.
Compra anque un polo e dele bisteque.
Ela compra também um frango e bife.

Alla salumeria, compra del prosciutto.
Ala salumeria, compra del prochiuto.
Na salsicharia, compra um pouco de presunto.

> *O sufixo* **-eria**
> *As palavras que terminam em* -eria *correspondem às palavras portuguesas terminadas em* -eria *ou* -aria*:*
> latteria = *leiteria*
> lavanderia = *lavanderia*
> gioielleria = *joalheria*
> pesceria = *peixaria*

Poi va in un negozio di verdure
Pói va in un negótzio di verdure
Depois vai a uma quitanda

per comprare delle patate,
per comprare dele patate,
para comprar batatas,

dei fagiolini verdi,
dei fadjiolíni vérdi,
vagem,

una lattuga e due chili di pomodori.
una latuga e due quíli di pomodóri.
um pé de alface e dois quilos de tomate.

"Quant'è al chilo l'uva oggi?"
"Quanté al quilo luva ôdji?"
"Quanto está o quilo da uva hoje?"

domanda al venditore.
domanda al venditore.
pergunta ao vendedor.

Compra anche delle pere,
Compra anque dele pere,
Também compra pêras,

delle mele e delle pesche.
dele mele e dele pesque.
maçãs e pêssegos.

Nel negozio di generi alimentari,
Nel negótzio di djêneri alimentári,
Na mercearia,

compra degli spaghetti
compra dêlhi spaguéti
compra espaguete

e dell'olio d'oliva.
e delólio doliva.
e azeite.

Alla latteria, compra del latte,
Ala lateria, compra del late,
Na leiteria, compra leite,

del burro e una dozzina d'uova.
del burro e una dodzina duova.
manteiga e uma dúzia de ovos.

Poi passa dal pescivendolo
Pói passa dal pechivêndolo
Depois, passa pela peixaria

per comprare baccalà
per comprare bacalá
para comprar bacalhau

e calamari.
e calamári.
e lula.

Infine, dal panettiere, domanda:
Infine, dal panetiere, domanda:
Finalmente, na padaria, pergunta:

"Ha dei filoni ben freschi?"
"A dei filôni ben frésqui?"
"O senhor tem filão bem fresco?"

Il panettiere risponde: "Come no, signora!
Il panetiere risponde: "Come no, sinhora!
O padeiro responde: "Como não, senhora!

Il nostro pane è sempre fresco."
Il nostro pane é sempre fresco."
O nosso pão está sempre fresco."

Dopo la spesa, la signora ritorna a casa
Dopo la spesa, la sinhora ritorna a casa
Depois de fazer as compras, a senhora volta para casa

con la macchina piena di pacchetti
con la máquina piena di paquêti
com o carro cheio de pacotes

e con cibo sufficiente
e con tchibo sufitchente
e com comida suficiente

per una settimana.
per una setimana.
para uma semana.

CONVERSAÇÃO: NO RESTAURANTE

UN CLIENTE:
Un cliente:
Um cliente:
   È libero questo tavolo?
   É libero qüesto távolo?
   Esta mesa está desocupada?

UN CAMERIERE:
Un cameriere:
Um garçom:
   Sissignore! Si accomodi, prego.
   Sissinhore! Si acómodi, prego.
   Sim, senhor! Sente-se, por favor.

   Ecco il menu.
   Eco il menu.
   Aqui está o cardápio.

IL CLIENTE:
   Grazie. Per cominciare vorrei
   Grátzie. Per comintchiare vorrei
   Obrigado. Para começar eu gostaria

   degli antipasti vari.
   dêlhi antipásti vári.
   de um antepasto variado.

IL CAMERIERE:
   Niente zuppa?
   Niente dzupa?
   Sopa não?

Niente
Niente *("nada") pode ser usado nesta construção com o sentido de "não" ou "nenhum(a)". Uma resposta negativa enfática poderia ser* niente affatto *("não mesmo", "de jeito nenhum").*

Abbiamo un eccelente minestrone.
Abiamo un etchelente minestrone.
Temos uma excelente sopa de legumes.

IL CLIENTE:
Grazie, niente zuppa. Invece,
Grátzie, niente dzupa. Invetche,
Obrigado, nada de sopa. Em vez disso,

prendo un piatto
prendo un piato
quero um prato

di spaghetti alle vongole.
di spaguéti ale vôngole.
de espaguete com mariscos.

E come secondo, che cos'avete?
E come secondo, que cosavete?
E como segundo prato, o que vocês têm?

IL CAMERIERE:
Oggi raccomandiamo
Ôdji racomandiamo
Hoje recomendamos

pollo alla cacciatora,
polo ala catchiatora,
frango à caçadora

o cotoletta alla milanese.
o cotoleta ala milanese.
ou bife à milanesa.

IL CLIENTE:
Che cosa sono i cannelloni alla romana?
Que cosa sono i canelôni ala romana?
O que são canelones à romana?

Che cosa sono...?
Preste atenção a esta construção, muito usada. Veja outras maneiras de se informar sobre os pratos da cozinha italiana.
Che cos'è? = *O que é?*
Come è preparato? = *Como é preparado?*

IL CAMERIERE:
Sono dei cannelloni
Sono dei canelôni
São canelones

ripieni di carne
ripiêni di carne
recheados de carne

invece che ricotta.
invetche que ricota.
em vez de ricota.

IL CLIENTE:
Credo che preferisco
Credo que preferisco
Acho que prefiro

delle scaloppine al Marsala.
dele scalopine al Marsala.
escalopinhos ao vinho Marsala.

IL CAMERIERE:
E come contorno, che cosa desidera?
E come contorno, que cosa desídera?
E como acompanhamento, o que deseja?

IL CLIENTE:
Che legumi avete?
Que legúmi avete?
Que legumes vocês têm?

IL CAMERIERE:
Abbiamo carote, piselli, zucchine,
Abiamo carote, piséli, dzuquine,
Temos cenoura, ervilhas, abobrinha,

asparagi e fagiolini verdi
asparádji e fadjiolíni vérdi.
aspargos e vagem.

IL CLIENTE:
Piselli, per favore.
Piséli, per favore.
Ervilhas, por favor.

Mi porti anche un'insalata verde
Mi pórti anque uninsalata verde
Traga-me, também, uma salada verde

condita con olio e aceto
condita con ólio e atcheto
temperada com azeite e vinagre,

ma senza sale.
ma sentza sale.
mas sem sal.

IL CAMERIERE:
E come vino?
E come vino?
Vinho?...

IL CLIENTE:
Del vino rosso –
Del vino rosso –
Vinho tinto –

un mezzo litro di Valpolicella.
un medzo litro di Valpolitchela.
uma garrafa de meio litro de Valpolicella.

IL CAMERIERE:
Vuole dei dolci o del formaggio?
Vuole dei dôltchi o del formádjio?
O senhor deseja doce ou queijo?

IL CLIENTE:
Che tipo di gelato avete?
Que tipo di djelato avete?
Que tipo de sorvete vocês têm?

IL CAMERIERE:
Abbiamo spumone, tortone ed altri.
Abiamo spumone, tortone edáltri.
Temos espumone, tortone e outros.

Ma raccomandiamo specialmente
Ma racomandiamo spetchialmente
Mas recomendamos especialmente

il gelato di zabaione. È squisito.
il djelato di dzabaione. É sqüisito.
o sorvete de zabaione. É delicioso.

IL CLIENTE:
Non ne dubito. Ma è troppo –
Non ne dúbito. Ma é tropo –
Não duvido (disso). Mas é muito –

prendo solo una tazza di caffè.
prendo solo una tatza di café.
tomo apenas uma xícara de café.

IL CAMERIERE:
Abbiamo caffè espresso e cappuccino.
Abiamo café espresso e caputchino.
Temos café expresso e cappuccino.

Quale preferisce?
Quale preferiche?
Qual o senhor prefere?

IL CLIENTE:
Caffè espresso, per favore.
Café espresso, per favore.
Café expresso, por favor.

IL CAMERIERE:
Subito, signore.
Súbito, sinhore.
Num instante, senhor.

IL CLIENTE:
Cameriere, il conto, prego.
Cameriere, il conto, prego.
Garçom, a conta, por favor.

IL CAMERIERE:
Eccolo, signore.
Écolo, sinhore.
Aqui está, senhor.

IL CLIENTE:
Il servizio è incluso?
Il servítzio é incluso?
O serviço está incluído?

IL CAMERIERE:
Nossignore.
Nossinhore.
Não, senhor.

È soddisfatto del suo pranzo?
É sodisfato del suo prantzo?
Está satisfeito com o almoço?

IL CLIENTE:
Oh, sì, un pranzo squisito. Ecco.
O, si, un prantzo sqüisito. Eco.
Oh, sim, um almoço delicioso. Aqui está.

IL CAMERIERE:
Le riporto il resto tra un momento.
Le riporto il resto tra un momento.
Trago-lhe o troco num momento.

IL CLIENTE:
Non c'è bisogno. Lo tenga.
Non tché bisonho. Lo tenga.
Não é preciso. Fique com ele.

IL CAMERIERE:
Grazie mille, signore.
Grátzie mile, sinhore.
Muito obrigado, senhor.

Ritorni ancora, prego.
Ritórni ancora, prego.
Volte outras vezes, por favor.

TESTE O SEU ITALIANO

Numere os nomes das comidas em português segundo seus correspondentes em italiano. Marque 5 pontos para cada resposta correta. Veja as respostas abaixo.

1. fagiolini verdi	legumes
2. prosciutto	peixe
3. uva	carne
4. pesce	vitelo
5. pesche	pão
6. latte	presunto
7. baccalà	frango
8. piselli	batatas
9. lattuga	vagens
10. carne	alface
11. pollo	tomates
12. legumi	uva
13. pane	ervilhas
14. pomodori	maçãs
15. vitello	pêssegos
16. mele	azeite
17. olio d'oliva	leite
18. burro	manteiga
19. calamari	bacalhau
20. patate	lula

Respostas: 12, 4, 10, 15, 13, 2, 11, 20, 1, 9, 14, 3, 8, 16, 5, 17, 6, 18, 7, 19

Resultado: _____ %

passo 15 USO DO TRATAMENTO FAMILIAR (*TU*)

Ecco alcuni esempi
Eco alcúni esêmpi
Aqui estão alguns exemplos

dell'uso del *tu*.
deluso del tu.
do uso do tu.

Tu si usa tra i membri della famiglia.
Tu si usa tra i mêmbri dela familha.
Tu *se usa entre os membros da família.*

UNA MADRE:
Una madre:
Uma mãe:
  Senti! Finisci di mangiare!
  Sênti! Finíchi di mandjiare!
  Escute! Acabe de comer!

> *Imperativo para* **tu**
> *Já vimos que o* tu *é um pronome de tratamento informal, usado para falar com crianças e entre pessoas muito próximas. Para formar o imperativo da segunda pessoa do singular, substitui-se a terminação* i *do presente do indicativo por* -a, *para os verbos da primeira conjugação. Para os verbos da segunda e da terceira conjugação, a forma do imperativo para* tu *é igual à do presente do indicativo.*

	pres. indic.	*imperativo*
parlare	tu parli	parla
scrivere	tu scrivi	scrivi
partire	tu parti	parti

O imperativo negativo para tu *é expresso por* non *e mais o infinitivo do verbo.*
Non parlare troppo! = *Não fale demais!*

SUA FIGLIA:
Sua filha:
Sua filha:
  Non ho fame, mammina.
  Nonó fame, mamina.
  Não estou com fome, mamãe.

LA MADRE:
  E finisci anche di bere il tuo latte!
  E finíchi anque di bere il tuo late!
  E acabe de beber o leite também!

LA FIGLIA:
  Non ho sete nemmeno.
  Nonó sete nemeno.
  Também não estou com sede.

LA MADRE:
  Se non finisci tutto,
  Se non finíchi tuto,
  Se não acabar tudo,

  glielo dico a tuo padre.
  lhelo dico a tuo padre.
  eu conto para o seu pai.

LA FIGLIA:
  Ma mammina, perchè
  Ma mamina, perquê
  Mas, mamãe, por que

  mi fai mangiare tanto?
  mi fai mandjiare tanto?
  você me faz comer tanto?

178

Non voglio diventare grassa.
Non volho diventare grassa.
Não quero ficar gorda.

Tu si usa fra amici.
Tu si usa fra amítchi.
Tu *se usa entre amigos.*

– Ciao, Peppino. Come stai?
Tchiao, Pepino. Come stai?
Oi, Pepino. Como vai?

> **Ciao**
> Ciao *é usado como saudação, quando encontramos alguém, e também como despedida. Só pode ser usado em contextos informais.*

– Così, così, Giulio. E tu?
Cosi, cosi, Djiúlio. E tu?
Mais ou menos, Júlio. E você?

– Non c'è male. Senti,
Non tché male. Sênti,
Nada mal. Escute,

sai che c'è una festa
sai que tché una festa
você sabe que vai haver uma festa

in casa di Domenico questa sera?
in casa di Domênico qüesta sera?
na casa do Domingos esta noite?

Non ci vai?
Non tchi vai?
Você não vai?

– Non sono invitato.
Non sono invitato.
Não sou convidado.

Eppoi, ho un appuntamento con Lucia.
Epói, ó unapuntamento con Lutchia.
Além disso, tenho um compromisso/encontro com a Lúcia.

– Ma non importa.
Ma nonimporta.
Não tem importância.

Venite voi due.
Venite voi due.
Venham vocês dois.

Imperativo para voi
Já vimos que voi *é a forma de tratamento no plural. A forma do imperativo para* voi *é exatamente igual à do presente do indicativo.*

	pres. indic.	imperativo
mangiare	voi mangiate	mangiate
scrivere	voi scrivete	scrivete
finire	voi finite	finite

Veramente, dovete venire.
Veramente, dovete venire.
Realmente, vocês devem vir.

Venite verso le otto.
Venite verso le oto.
Venham por volta das oito.

E porta una bottiglia di vino.
E porta una botilha di vino.
E traga uma garrafa de vinho.

Non dimenticare.
Non dimenticare.
Não esqueça.

Tu si usa fra innamorati.
Tu si usa fra inamoráti.
Tu *se usa entre namorados.*

LEI:
Lei:
Ela:
Dimmi, mi ami?
Dími, mi ámi?
Diga-me, você me ama?

LUI:
Lui:
Ele:
Sì, cara, ti voglio molto bene.
Si, cara, ti volho molto bene.
Sim, querida, quero-lhe muito bem.

> ***Amar***
> *Existem duas expressões para "amar":* voler bene *e* amare.
> *Voler bene é literalmente "querer bem", mas pode significar também "amar". Note que o verbo* volere *perde o -e final na expressão* voler bene. *Nas expressões* arrivederla *e* dolce far niente, *os verbos* rivedere *e* fare *também perdem o -e final.*

LEI:
Per sempre?
Per sempre?
Para sempre?

LUI:
Chissà?
Quissá?
Quem sabe?

LEI:
Perchè dici "chissà"?
Perquê dítchi "quissá"?
Por que você diz "quem sabe"?

Sei un bruto. Ti odio.
Sei un bruto. Ti ódio.
Você é um "grosso". Odeio você.

Tu si usa quando si parla con i bambini.
Tu si usa quando si parla con i bambíni.
Tu é usado quando se fala com as crianças.

– Vieni qui, piccolina.
  Viêni qüi, picolina.
  Venha aqui, pequena.

> *Diminutivo*
> As *terminações* -ino, -ina *e* -etto, -etta *indicam o diminutivo:*
>
>> fratello = *irmão*
>> fratellino = *irmãozinho*
>> sorella = *irmã*
>> sorellina = *irmãzinha*
>> gatto = *gato*
>> gattino = *gatinho*
>> casa = *casa*
>> casetta = *casinha*
>> scarpa = *sapato*
>> scarpina *ou* scarpetta = *sapatinho*

Come ti chiami?
Come ti quiámi?
Como você se chama?

– Mi chiamo Giuseppina.
  Mi quiamo Djiusepina.
  Eu me chamo Josefina.

– E questo bambino è tuo fratello?
  E qüesto bambino é tuo fratelo?
  E este menino é seu irmão?

– Sì. È ancora molto piccolo.
Si. É ancora molto pícolo.
Sim. Ele ainda é muito pequeno.

Non sa parlare.
Non sa parlare.
Ele não sabe falar.

– Però tu sai parlare bene, no?
Peró tu sai parlare bene, no?
Mas você sabe falar bem, não é?

Ecco una caramella per te
Eco una caramela per te
Aqui está uma bala para você

ed un'altra per il tuo fratellino.
edunaltra per il tuo fratelino.
e uma outra para o seu irmãozinho.

Fatevi più in là.
Fátevi piu in lá.
Vão mais para lá.

Voglio farvi una fotografia.
Volho fárvi una fotografia.
Quero tirar uma fotografia de vocês.

Sorridete.
Sorridete.
Sorriam.

Tu si usa quando si parla con gli animali.
Tu si usa quando si parla con lhi animáli.
Tu *se usa quando se fala com os animais.*

Fido, scendi dal sofà!
Fido, chêndi dal sofá!
Fido, desça do sofá!

Lascia in pace il gatto.
Láchia in patche il gato.
Deixe o gato em paz.

Stai fermo!
Stai fermo!
Fique quieto!

Non fare tanto rumore.
Non fare tanto rumore.
Não faça tanto barulho.

Esci di qui, cattivo!
Échi di qüi, cativo!
Saia daqui, malvado!

CONVERSAÇÃO: NUM TERRAÇO DE CAFÉ

LUI:
Lui:
Ele:
Ho sete. Vuoi prendere qualcosa
Ó sete. Vuói prêndere qualcosa
Estou com sede. Quer beber alguma coisa

da bere in questo caffè?
da bere in qüesto café?
neste café?

LEI:
Lei:
Ela:
Che buona idea! Andiamo.
Que buona idea! Andiamo.
Que boa idéia! Vamos.

LUI:
Ecco un tavolo libero.
Eco un távolo líbero.
Aqui está uma mesa livre.

Sediamoci qui all'aperto
Sediámotchi qüi alaperto
Vamos sentar aqui fora,

dove possiamo guardare la gente.
dove possiamo guardare la djente.
onde podemos olhar as pessoas.

LEI:
> Benone! Vuoi guardare
> **Benone! Vuói guardare**
> *Muito bem! Você quer ver*
>
> passare le belle ragazze.
> **passare le bele ragatze.**
> *as moças bonitas passar.*

LUI:
> Ma che dici! Lo sai
> **Ma que dítchi! Lo sai**
> *Não diga isso! Você sabe*
>
> che non guardo che te.
> **que non guardo que te.**
> *que só olho para você.*
>
> Cameriere!
> **Cameriere!**
> *Garçom!*

CAMERIERE:
Cameriere:
Garçom:
> I signori desiderano?
> **I sinhôri desíderano?**
> *O que os senhores desejam?*

> **I signori**
> I signori, *literalmente, significa "os senhores". Neste caso, o garçom está falando com um senhor e uma senhora. Se ele estivesse falando com duas senhoras, usaria* Le signore.

LUI:
> Che prendi, cara?
> **Que prêndi, cara?**
> *O que vai tomar, querida?*

LEI:
Non so... un'aranciata, forse.
Non só... unarantchiata, forse.
Não sei... uma laranjada, talvez.

LUI:
Bene, porti un'aranciata
Bene, pórti unarantchiata
Bem, traga uma laranjada

per la signora, e per me...
per la sinhora, e per me...
para a senhora, e para mim...

un Cinzano con ghiaccio.
un Tchindzano con guiátchio.
um Cinzano com gelo.

LEI:
Caro, puoi cambiare l'ordinazione?
Caro, puói cambiare lordinatzione?
Querido, você pode mudar o pedido?

Vorrei provare un Campari,
Vorrei provare un Campári,
Gostaria de experimentar um Campari,

invece dell'aranciata.
invetche delarantchiata.
no lugar da laranjada.

LUI:
Va bene. Così sono le donne.
Va bene. Cosi sono le done.
Está bem. As mulheres são assim.

Cambiano sempre di parere.
Cámbiano sempre di parere.
Mudam sempre de opinião.

Cameriere! Cambiamo l'ordinazione.
Cameriere! Cambiamo lordinatzione.
Garçom! Vamos mudar o pedido.

Un Campari per la signora
Un Campári per la sinhora
Um Campari para a senhora

e dell'acqua minerale, per favore.
e deláqua minerale, per favore.
e água mineral, por favor.

LEI:
Non sei arrabbiato con me?
Non sei arrabiato con me?
Não está zangado comigo?

LUI:
Sai bene che non sono mai
Sai bene que non sono mai
Você sabe que nunca estou

arrabbiato con te.
arrabiato con te.
zangado com você.

Ecco le bevande. Alla tua salute.
Eco le bevande. Ala tua salute.
Aqui estão as bebidas. À sua saúde.

LEI:
E alla tua, amore.
E ala tua, amore.
E à sua, amor.

> **Amore**
> *Além de* amore, *existem outros termos equivalentes que podem ser usados neste contexto:* tesoro mio, vita mia, gioia mia, caro, cara.

Além desses termos de tratamento carinhoso, seria bom você tomar conhecimento de alguns insultos não muito violentos:

Pazzo! = *Louco!*
Imbecille! = *Imbecil!*
Cretino! = *Cretino!*
Maledetto! = *Desgraçado!*

TESTE O SEU ITALIANO

Verta as frases seguintes para o italiano, usando o tratamento familiar no singular (*tu*). Marque 5 pontos para cada resposta correta. Veja a solução a seguir.

1. Qual é o seu nome?
   _____

2. Como vai você?
   _____

3. Você não vai lá?
   _____

4. Você me ama?
   _____

5. Você é um "grosso"!
   _____

6. Quero-lhe muito bem!
   _____

7. Odeio você!
   _____

8. Ouça-me!
   _____

9. Fique quieto!

10. Não faça tanto barulho!

Verta as seguintes frases para o italiano, usando o plural (*voi*). Marque 5 pontos para cada resposta correta. Veja a solução ao final.

1. Vocês devem vir.

2. Acabem de comer!

3. Vocês sabem que tem uma festa?

4. Não esqueçam.

5. Venham vocês dois.

6. Vão um pouco para lá.

7. Sorriam!

8. Vocês querem alguma coisa para beber?

9. O que vocês querem tomar?

10. Podemos mudar o pedido?

Resultado: _____ %

Respostas (com *tu*): 1. Come ti chiami? 2. Come stai? 3. Non ci vai? 4. Mi ami? (ou "Mi vuoi bene?") 5. Sei un bruto! 6. Ti voglio molto bene! 7. Ti odio! 8. Sentimi! 9. Stai fermo! 10. Non fare tanto rumore!

(com *voi*): 1. Dovete venire. 2. Finite di mangiare! 3. Sapete che c'è una festa? 4. Non dimenticate! 5. Venite voi due. 6. Fatevi più in là. 7. Sorridete! 8. Volete qualcosa da bere? 9. Che cosa prendete? 10. Potete cambiare l'ordinazione?

passo 16 — DIAS, MESES, ESTAÇÕES DO ANO, O TEMPO

I giorni della settimana sono:
I djiôrni dela setimana sono:
Os dias da semana são:

   lunedì, martedì, mercoledì,
   lunedi, martedi, mercoledi,
   segunda-feira, terça-feira, quarta-feira,

   giovedì, venerdì, sabato e domenica.
   djiovedi, venerdi, sábato e domênica.
   quinta-feira, sexta-feira, sábado e domingo.

I mesi dell'anno si chiamano:
I mêsi delano si quiámano:
Os meses do ano se chamam:

   gennaio, febbraio, marzo,
   djenaio, febraio, martzo,
   janeiro, fevereiro, março,

   aprile, maggio, giugno,
   aprile, mádjio, djiunho,
   abril, maio, junho,

   luglio, agosto, settembre,
   lulho, agosto, setembre,
   julho, agosto, setembro,

   ottobre, novembre e dicembre.
   otobre, novembre e ditchembre.
   outubro, novembro e dezembro.

Gennaio è il primo mese dell'anno.
Djenaio é il primo mese delano.
Janeiro é o primeiro mês do ano.

Il primo gennaio è l'Anno Nuovo.
Il primo djenaio é lano Nuovo.
O dia primeiro de janeiro é o ano-novo.

Che giorno è?
O primeiro dia do mês é a única data para a qual se usa um numeral ordinal. Para as outras, usam-se os numerais cardinais:

il primo febbraio = *primeiro de fevereiro,*
il due febbraio = *dois de fevereiro,*
il ventisei febbraio = *vinte e seis de fevereiro.*

As datas vêm sempre acompanhadas do artigo il, *pois está subentendida a palavra* giorno – il (giorno) primo febbraio. *Observe que não há preposição entre o dia e o mês. Diz-se* il due febbraio *e não* il due di febbraio.

Allora, diciamo ai nostri amici:
Alora, ditchiamo ai nóstri amítchi:
Então, dizemos aos nossos amigos:

"Buon Anno!" o "Buon Capo d'Anno!"
"Buonano!" o "Buon Capo dano!"
"Bom ano!" ou "Feliz Ano Novo!"

Il venticinque dicembre
Il ventitchinqüe ditchembre
Dia vinte e cinco de dezembro

è il giorno di Natale.
é il djiorno di Natale.
é dia de Natal.

La gente dice: "Buon Natale!"
La djente ditche: "Buon Natale!"
As pessoas dizem: "Feliz Natal!"

In Italia, il quindici agosto
In itália, il qüínditchi agosto
Na Itália, no dia quinze de agosto

È ferragosto:
É ferragosto:
começa o ferragosto:

> **Ferragosto** – *Festa Nacional*
> *Nos dias 15 e 16 de agosto (dia de Nossa Senhora). Deveria ser o dia mais quente do ano, o que na prática nem sempre acontece.*

la maggior parte della gente
la madjior parte dela djente
a maioria das pessoas

è in ferie.
é in férie.
está de férias.

Allora, si dice:
Alora, si ditche:
Então se diz:

"Buone vacanze, buone ferie!",
"Buone vacantze, buone férie!",
"Boas férias!"

L'anno è diviso in quattro stagioni:
Lano é diviso in quatro stadjiôni:
O ano se divide em quatro estações:

la primavera, l'estate, l'autunno e l'inverno.
la primavera, lestate, lautuno e linverno.
primavera, verão, outono e inverno.

D'inverno fa freddo
Dinverno fa fredo
No inverno faz frio

e d'estate fa caldo.
e destate fa caldo.
e no verão faz calor.

> **Che tempo fa?**
> Fa freddo = *Faz frio*
> Fa caldo = *Faz calor*
> Fa bel tempo = *O tempo está bonito*
> Fa brutto tempo = *O tempo está feio*
> Fa fresco = *Está friozinho*
> Che tempo fa? = *Que tempo está fazendo?*

In primavera e in autunno
In primavera e inautuno
Na primavera e no outono

generalmente fa bel tempo,
generalmente fa bel tempo,
geralmente faz bom tempo,

ma piove spesso.
ma piove spesso.
mas chove com freqüência.

In autunno le foglie cambiano colore
Inautuno le folhe cámbiano colore
No outono as folhas mudam de cor

e cadono dagli alberi.
e cádono dálhi álberi.
e caem das árvores.

Il clima in'Italia è generalmente
Il clima initália é djeneralmente
O clima da Itália é geralmente

molto più gradevole di quello
molto piu gradévole di qüelo
muito mais agradável que o

del Nord America.
del Nord América.
da América do Norte.

Non fa nè così freddo nè così caldo.
Non fa ne cosi fredo ne cosi caldo.
Não faz nem muito frio nem muito calor.

Però, il clima del Settentrione
Peró, il clima del Setentrione
Porém, o clima do Norte da Itália

> **Settentrione *e* Mezzogiorno**
> *São duas palavras usadas para designar o Norte (Settentrione) e o Sul (Mezzogiorno) da Itália. Mezzogiorno (meiodia), porque para quem está no Hemisfério Norte o Sol é visto ao Sul quando está em sua culminação superior. Settentrione vem de septemtrione, que em latim significa "sete bois", nome das estrelas da Ursa Maior, constelação dos céus do Norte.*

è simile a quello
é símile a qüelo
é parecido com o

del Nord degli Stati Uniti,
del Nord dêlhi Státi Uníti,
do Norte dos Estados Unidos,

mentre quello del Mezzogiorno è simile
mentre qüelo del Medzodjiorno é símile
enquanto o do Sul da Itália é parecido

a quello della parte meridionale della California.
a qüelo dela parte meridionale dela Califórnia.
com o da região Sul da Califórnia.

Per di più, la vicinanza
Per di piu, la vitchinantza
Além do mais, a proximidade

delle montagne al mare –
dele montanhe al mare –
entre as montanhas e o mar –

le Alpi, gli Appennini,
le Álpi, lhi Apeníni,
os Alpes, os Apeninos,

ed i cinque mari che circondano
edi tchinqüe mare que tchircôndano
e os cinco mares que circundam

> **Itália entre os quatro mares**
> *O Mediterrâneo banha a Itália através dos seus quatro mares: Adriático, Jônico, Tirreno e mar da Ligúria.*

la penisola – e soprattutto
la penísola – e sopratuto
a península – e sobretudo

il cielo così azzurro
il tchielo cosi adzurro
o céu tão azul

fanno dell'Italia un posto ideale
fano delitália un posto ideale
fazem da Itália um lugar ideal

per passare le vacanze
per passare le vacantze
para passar as férias

o, anche meglio, per viverci.
o, anque melho, per vívertchi.
ou, ainda melhor, para viver.

CONVERSAÇÃO: FALANDO SOBRE O TEMPO

Tutti fanno osservazioni
Túti fano osservatziôni
Todos fazem observações

sul tempo che fa.
sul tempo que fa.
sobre o tempo.

In primavera, quando brilla il sole,
In primavera, quando brila il sole,
Na primavera, quando brilha o sol,

e soffia una brezza piacevole,
e sófia una bretza piatchêvole,
e sopra uma brisa agradável,

e l'aria odora di fiori,
e lária odora di fiôri,
e o ar cheira a flores,

    si dice: "Che bella giornata!"
    si ditche: "Que bela djiornata!"
    diz-se: "Que belo dia!"

E, quando la notte è chiara
E, quando la note é quiara
E, quando a noite é clara

e vediamo la luna e le stelle,
e vediamo la luna e le stele,
e vemos a lua e as estrelas,

diciamo: "Che notte meravigliosa!"
ditchiamo: "Que note meravilhosa!"
dizemos: "Que noite maravilhosa!"

D'estate, quando il sole è più forte,
Destate, quando il sole é piu forte,
No verão, quando o sol é mais forte,

    diciamo: "Fa un caldo tremendo, no?"
    ditchiamo: "Fa un caldo tremendo, no?"
    dizemos: "Está um calor tremendo, não?"

Quando piove, si dice spesso:
Quando piove, si ditche spesso:
Quando chove, geralmente se diz:

    "Fa brutto tempo oggi.
    "Fa bruto tempo ôdji.
    "Hoje o tempo está feio.

    Piove a dirotto."
    Piove a diroto."
    Chove a cântaros."

Nel tardo autunno, quando comincia il freddo,
Nel tardo autuno, quando comíntchia il fredo,
No fim do outono, quando começa o frio,

    si dice: "Fa abbastanza fresco, no?"
    si ditche: "Fa abastantza fresco, no?"
    diz-se: "Está bem friozinho, não?"

D'inverno, quando nevica, spesso si dice:
Dinverno, quando névica, spesso si ditche:
No inverno, quando neva, freqüentemente se diz:

    "Sta nevicando molto.
    "Sta nevicando molto.
    "Está nevando muito.

Che freddo fa! Le strade
Que fredo fa! Lestrade
Que frio! As ruas

devono essere molto brutte,
dêvono éssere molto brute,
devem estar muito ruins,

con tutta questa neve."
con tuta qüesta neve."
com toda esta neve."

Quando c'è molto vento
Quando tché molto vento
Quando há muito vento

con tuoni e lampi
con tuôni e lámpi
com trovões e relâmpagos

e con molta pioggia,
e con molta piódjia,
e com muita chuva,

si dice: "Che temporale!"
si ditche: "Que temporale!"
diz-se: "Que temporal!"

E, quando c'è la nebbia, a volte
E, quando tché la nébia, a volte
E, quando há neblina, às vezes

diciamo: "Quanta nebbia c'è!
ditchiamo: "Quanta nébia tché!
dizemos: "Quanta neblina!

Quasi non si può vedere niente.
Quási non si puó vedere niente.
Não se pode enxergar quase nada.

È molto pericoloso guidare.
É molto pericoloso güidare.
É muito perigoso dirigir.

Invece di uscire,
Invetche di uchire,
Ao invés de sair,

restiamo qui a casa
restiamo qüi a casa
vamos ficar aqui em casa

e guardiamo la televisione."
e guardiamo la televisone."
e assistir à televisão."

TESTE O SEU ITALIANO

Traduza os comentários sobre o tempo para o português. Marque 10 pontos para cada resposta correta. Veja a solução a seguir.

1. Che bella giornata!

2. Che notte meravigliosa!

3. Fa un caldo tremendo, no?

4. Fa brutto tempo oggi.

5. Piove a dirotto.

6. Fa abbastanza fresco, no?

7. Sta nevicando molto.

8. Che freddo fa!

9. Che temporale!

10. Quanta nebbia c'è!

Resultado: _____ %

Respostas: 1. Que belo dia! 2. Que noite maravilhosa! 3. Está fazendo um calor tremendo, não? 4. Está fazendo um tempo feio hoje. 5. Está chovendo muito. 6. Está fazendo friozinho, não? 7. Está nevando muito. 8. Que frio está fazendo! 9. Que temporal! 10. Quanta neblina!

passo 17 FORMAÇÃO DO FUTURO DO INDICATIVO

Il tempo futuro
Il tempo futuro
O tempo futuro

è molto facile.
é molto fátchile.
é muito fácil.

La forma del futuro per *io* finisce in -ò.
La forma del futuro per io finiche in -ò.
A forma do futuro para io termina em -ò.

Futuro do indicativo
Para formar o futuro do indicativo, basta acrescentar ao radical do verbo as terminações do futuro, conforme os exemplos abaixo:

	1.ª conjugação	2.ª conjugação	3.ª conjugação
	parl*are*	scriv*ere*	fin*ire*
io	parl*erò*	scriv*erò*	fin*irò*
tu	parl*erai*	scriv*erai*	fin*irai*
lui	parl*erà*	scriv*erà*	fin*irà*
noi	parl*eremo*	scriv*eremo*	fin*iremo*
voi	parl*erete*	scriv*erete*	fin*irete*
loro	parl*eranno*	scriv*eranno*	fin*iranno*

Os verbos irregulares no futuro apresentam mudanças apenas no radical, mantendo as terminações do futuro para todas as pessoas. Em alguns, a mudança de radical implica a perda do e- inicial da desinência. Veja a 1.ª pessoa do singular dos principais verbos irregulares no futuro:

infinitivo	futuro
avere *(ter)*	avrò
potere *(poder)*	potrò
sapere *(saber)*	saprò
dovere *(dever)*	dovrò
vedere *(ver)*	vedrò
andare *(ir)*	andrò
rimanere *(ficar)*	rimarrò
venire *(vir)*	verrò
volere *(querer)*	vorrò
bere *(beber)*	berrò
cercare *(procurar)*	cercherò
dimenticare *(esquecer)*	dimenticherò
mancare *(faltar)*	mancherò
spiegare *(explicar)*	spiegherò
pagare *(pagar)*	pagherò

Domani mattina mi alzerò molto presto.
Dománi matina mi altzeró molto presto.
Amanhã de manhã me levantarei muito cedo.

Dovrò andare dal dottore.
Dovró andare dal dotore.
Terei de ir ao médico.

No médico
Numa consulta médica, poderão ser utilizadas as expressões abaixo.

Ho mal di testa. = *Estou com dor de cabeça.*
Ho mal di gola. = *Estou com dor de garganta.*
Ho mal di stomaco. = *Estou com dor de estômago.*
Ho le vertigini. = *Estou com tonturas.*
Mi fa male qui. = *Tenho dor aqui.*
Deve rimanere a letto. = *Você deve ficar de cama.*
Prenda questa medicina tre volte al giorno. = *Tome este remédio três vezes ao dia.*
Si sentirà meglio. = *Você se sentirá melhor.*

Gli domanderò qualche cosa per la mia tosse.
Lhi domanderó qualque cosa per la mia tosse.
Eu lhe pedirei alguma coisa para a tosse.

La chiamerò al suo ufficio,
La quiameró al suo ufítchio,
Telefonarei a seu escritório,

e Le dirò a che ora sarò di ritorno.
e Le diró a que ora saró di ritorno.
e direi a que horas retornarei.

La forma per *Lei* finisce in -à.
La forma per Lei finiche in -á.
A forma para Lei termina em -à.

– Quando arriverà Raimondo?
Quando arriverá Raimondo?
Quando chegará Raimundo?

– Verrà domani.
Verrá dománi.
Chegará amanhã.

– Sarà possibile parlargli del contratto?
Sará possíbile parlárlhi del contrato?
Será possível falar com ele sobre o contrato?

– Non credo. Partirà alle due.
Non credo. Partirá ale due.
Não creio. Ele partirá às duas.

Prenderà l'aereo per la Libia, dove visiterà
Prenderá laéreo per la Líbia, dove visiterá
Tomará o avião para a Líbia, onde visitará

i nuovi campi di petrolio.
i nuóvi cámpi di petrólio.
os novos campos de petróleo.

Lei non verrà all'aeroporto?
Léi non verrá alaeroporto?
O senhor não irá ao aeroporto?

Venga, così avrà tempo di parlargli.
Venga, cosi avrá tempo di parlárlhi.
Vá, assim terá tempo de falar com ele.

La forma per *tu* finisce in *-ai*.
La forma per tu finiche in -ai.
A forma para tu termina em -ai.

LEI:
Mi telefonerai domani?
Mi telefonerai dománi?
Você me telefonará amanhã?

LUI:
Certo. Ma non sarai a casa.
Tcherto. Ma non sarai a casa.
Claro. Mas você não estará em casa.

Uscirai presto, no? Quando ritornerai?
Uchirai presto, no? Quando ritornerai?
Vai sair cedo, não é? Quando voltará?

LEI:
Alle cinque del pomeriggio.
Ale tchinqüe del pomerídjio.
Às cinco horas da tarde.

Potrai chiamarmi dopo le cinque.
Potrai quiamármi dopo le tchinqüe.
Você poderá me telefonar depois das cinco.

La forma per *voi* finisce in *-ete*.
La forma per voi finiche in -ete.
A forma para voi termina em -ete.

"Bevete Fernet-Branca
"Bevete Fernet-Branca
"Tomem Fernet-Branca

e vi sentirete forti come leoni."
e vi sentirete fórti come leôni."
e vocês se sentirão fortes como um leão."

"Quando sarete al volante di una Ferrari,
"Quando sarete al volante di una Ferrári,
"Quando vocês estiverem dirigindo uma Ferrari,

volerete come il vento."
volerete come il vento."
voarão como o vento."

La forma per *noi* finisce in *-emo*.
La forma per noi finiche in -emo.
A forma para noi *termina em* -emo.

Sabato prossimo andremo tutti in campagna.
Sábato próssimo andremo túti in campanha.
No sábado próximo, iremos todos para o campo.

Prenderemo il treno e scenderemo a Benevento.
Prenderemo il treno e chenderemo a Benevento.
Tomaremos o trem e desceremos em Benevento.

Poi andremo in automobile
Pói andremo in automóbile
Depois, iremos de carro

fino alla fattoria di Don Antonio.
fino ala fatoria di Don Antonio.
até a fazenda do Sr. Antônio.

Lì, andremo a cavallo,
Li, andremo a cavalo,
Lá, andaremos a cavalo,

vedremo i dintorni
vedremo i dintórni
olharemos a paisagem

e poi nuoteremo nella piscina.
e pói nuoteremo nela pichina.
e depois nadaremos na piscina.

La sera, se il tempo lo permetterà,
La sera, se il tempo lo permeterá,
À noite, se o tempo permitir,

ceneremo all'aperto.
tcheneremo alaperto.
jantaremos ao ar livre.

Ascolteremo canzoni
Ascolteremo cantzôni
Escutaremos canções

e musiche tipiche regionali.
e músique típique redjionáli.
e músicas típicas regionais.

Credo che ci divertiremo molto.
Credo que tchi divertiremo molto.
Acho que nos divertiremos muito.

La forma per *Loro* (*loro*), finisce in -*anno*.
La forma per Loro (loro), finiche in -anno.
A forma para Loro *(* loro*) termina em* -anno.

UN GIOVANE:
Un djióvane:
Um rapaz:
Crede che gli uomini vivranno
Crede que lhi uómini vivrano
O senhor crê que os homens viverão

sulla luna un giorno?
sula luna un djiorno?
na Lua um dia?

UN VECCHIO:
Un véquio:
Um velho:

Senza dubbio. Fra poco,
Sentza dúbio. Fra poco,
Sem dúvida. Dentro em pouco,

ci saranno delle basi
tchi sarano dele bási
lá existirão algumas bases

e probabilmente ci saranno dei voli giornalieri.
e probabilmente tchi sarano dei vôli djiornaliêri.
e provavelmente haverá vôos diários.

IL GIOVANE:
Crede che andranno anche fino ai pianeti?
Crede que andrano anque fino ai pianêti?
O senhor acha que os homens irão até os planetas?

IL VECCHIO:
Sicuro. Una volta sulla luna,
Sicuro. Una volta sula luna,
Certamente. Uma vez na Lua,

i viaggi futuri saranno molto più facili
i viádji futúri sarano molto piu fátchili
as viagens futuras serão muito mais fáceis

e continueranno fino ai pianeti.
e continuerano fino ai pianêti.
e continuarão até os planetas.

Però credo che gli astronauti
Peró credo que lhi astronáuti
Mas acho que os astronautas

non arriveranno fino alle stelle
non arriverano fino alestele
não chegarão até as estrelas

tra pochi anni.
tra póqui áni.
em poucos anos.

Forse voialtri giovani
Forse voiáltri djióvani
Talvez vocês jovens

> **Noialtri e voialtri**
> *Essas palavras são a contração de* noi *("nós") e* altri *("outros") e de* voi *("vocês") e* altri.
>
> Noialtri italiani non sappiamo parlare senza gesticolare.
> *Nós, italianos, não sabemos falar sem gesticular.*

lo vedrete un giorno.
lo vedrete un djiorno.
verão isso um dia.

CONVERSAÇÃO: PLANOS PARA UMA VIAGEM À ITÁLIA

ANNAMARIA:
Il prossimo mese voi partirete
Il próssimo mese voi partirete
No próximo mês vocês partirão

per l'Italia, non è vero?
per litália, noné vero?
para a Itália, não é verdade?

MARCELLA:
Sì, per mio marito sarà un viaggio d'affari
Si, per mio marito sará un viádjio dafári
Sim, para o meu marido será uma viagem de negócios,

> ***Perdendo o artigo***
> *O possessivo geralmente é precedido do artigo definido. A única exceção é quando o possessivo vem acompanhado de um substantivo que indica relação de parentesco:*
>
> mia moglie = *minha mulher*
> la mia automobile = *meu carro*
> il mio dottore = *meu doutor*

ma per me sarà un viaggio di piacere.
ma per me sará un viádjio di piatchere.
mas para mim será uma viagem de lazer.

Luigi andrà direttamente a Milano,
Luídji andrá diretamente a Milano,
Luís irá diretamente para Milão,

lì, si occuperà dei suoi affari.
lì, si ocuperá dei suoi afári.
ali, ele se ocupará com os seus negócios.

Io cambierò aereo a Milano
Io cambieró aéreo a Milano
Eu trocarei de avião em Milão

e proseguirò per Napoli.
e prosegüiró per Nápoli.
e seguirei para Nápoles.

ANNAMARIA:
Suo marito l'incontrerà a Napoli?
Suo marito lincontrerá a Nápoli?
O seu marido a encontrará em Nápoles?

MARCELLA:
No, credo che non potrà venire.
No, credo que non potrá venire.
Não, acho que ele não poderá ir.

Mi aspetterà a Roma invece.
Mi aspeterá a Roma invetche.
Vai me esperar em Roma.

Ma prima di continuare verso Roma,
Ma prima di continuare verso Roma,
Mas, antes de continuar para Roma,

farò certamente una visita a Capri.
faró tchertamente una vísita a Cápri.
certamente farei uma visita a Capri.

ANNAMARIA:
Quando sarà a Capri,
Quando sará a Cápri,
Quando a senhora estiver em Capri,

non si dimentichi
non si dimêntiqui
não se esqueça

> ***Uma questão fonética***
> *No italiano, o* c *antes de* e *e* i *tem o som de "tch". Assim, no verbo* dimenticare, *por exemplo, acrescenta-se um* h *ao* c *antes de* e *e* i, *para que o som se mantenha "que" e "qui".*
>
> dimentichi / **dimêntiqui**
> dimenticherò / **dimentiqueró**

di andare in barca
di andare in barca
de ir de barco

a visitare la Grotta Azzurra.
a visitare la Grota Adzurra.
visitar a Gruta Azul.

La troverà così bella!
La troverá cosi bela!
Verá como ela é bonita!

MARCELLA:
Va bene. Non dimenticherò.
Va bene. Non dimentiqueró.
Está bem. Não esquecerei.

ANNAMARIA:
E a Roma, quanto tempo resterete?
E a Roma, quanto tempo resterete?
E quanto tempo permanecerão em Roma?

MARCELA:
Ci staremo soltanto una settimana,
Tchistaremo soltanto una setimana,
Ficaremos lá somente uma semana,

ma faremo come tutti i turisti.
ma faremo come túti i turísti.
mas faremos como todos os turistas.

Vedremo le rovine, le chiese,
Vedremo le rovine, le quiese,
Veremos as ruínas, as igrejas,

i giardini, i musei, il Vaticano,
i djiardíni, i musei, il Vaticano,
os jardins, os museus, o Vaticano,

i monumenti, le catacombe...
i monumênti, le catacombe...
os monumentos, as catacumbas...

ANNAMARIA:
E da Roma, per dove partirete?
E da Roma, per dove partirete?
E, de Roma, para onde irão?

MARCELLA:
Andremo a Milano,
Andremo a Milano,
Iremos para Milão,

dove Alberto dovrà partecipare
dove Alberto dovrá partetchipare
onde Alberto deverá participar

ad un'altra riunione d'affari.
adunaltra riunione dafári.
de outra reunião de negócios.

> *Eufonia*
> *Por motivos de eufonia, uma das características do italiano, freqüentemente se acrescenta um d à preposição a e à conjunção e, para que não ocorra um encontro de vogais.*
>
> Andiamo ad un'altra riunione d'affari.
> Roberto ed io siamo italiani.

Ma dopo noleggeremo un'auto
Ma dopo noledjeremo unauto
Mas depois alugaremos um carro

e faremo un giro – visiteremo
e faremo un djiro – visiteremo
e faremos um passeio – visitaremos

Pisa, Siena, Firenze,
Pisa, Siena, Firentze,
Pisa, Siena, Florença,

Bologna e altre città.
Bolonha e altre tchitá.
Bolonha e outras cidades.

ANNAMARIA:
Sono sicura che Alberto
Sono sicura que Alberto
Tenho certeza de que Alberto

sarà una guida espertissima.
sará una güida espertíssima.
será um guia muito bem informado.

Conosce molto bene quella parte d'Italia.
Conoche molto bene qüela parte ditália.
Ele conhece muito bem aquela região da Itália.

MARCELLA:
Sì, forse, se potrà dimenticare
Si, forse, se potrá dimenticare
Sim, talvez, se conseguir esquecer

gli affari per qualche giorno.
lhi afári per qualque djiorno.
os negócios por alguns dias.

ANNAMARIA:
Senta, perchè non andate a Venezia?
Senta, perquê nonandate a Venêtzia?
Escute, por que vocês não vão a Veneza?

arriverete giusto in tempo
arriverete djiusto in tempo
Vocês chegarão bem a tempo

per assistere alla Regata, la storica
per assístere ala Regata, la stórica
para assistir à Regata, o histórico

sfilata di gondole lungo
sfilata di gôndole lungo
desfile de gôndolas ao longo

il Canale Grande.
il Canale Grande.
do Canal Grande.

Quando suo marito si troverà
Quando suo marito si troverá
Quando seu marido estiver

fra tanta allegria e tanta baldoria,
fra tanta alegria e tanta baldoria,
no meio de tanta alegria e tanta folia,

con feste, balli, sfilate,
con feste, báli, sfilate,
com festas, bailes, desfiles,

fuochi artificiali sopra i canali e tutto il resto,
fuóqui artifitchiáli sopra i canáli e tuto il resto,
fogos de artifício sobre os canais e todo o resto,

mi dica, come farà a
mi dica, come fará a
diga-me, como vai conseguir

pensare agli affari?
pensare álhi afári?
pensar nos negócios?

TESTE O SEU ITALIANO

Verta as frases abaixo para o italiano, usando o futuro simples. Marque 10 pontos para cada resposta correta. Veja a solução ao final.

1. Amanhã de manhã me levantarei cedo.
   ___

2. Terei de ir ao escritório.
   ___

3. Você me telefonará hoje à noite?
   ___

4. Segunda-feira iremos todos para o campo.
   ___

5. Quando o senhor voltará?
   ___

6. Iremos de carro.
   ___

7. Jantaremos às oito horas.
   ___

8. O que a senhora fará quando estiver em Roma?
   ___

9. Ficaremos lá um mês.
   ___

10. Ele será um guia muito bem informado.

Respostas: 1. Domani mattina mi alzerò presto. 2. Dovrò andare in ufficio. 3. Mi telefonerai stasera? 4. Lunedì andremo tutti in campagna. 5. Quando ritornerai? 6. Andremo in macchina. 7. Ceneremo alle otto. 8. Che cosa farà quando sarà a Roma? 9. Ci staremo un mese. 10. Sarà una guida espertissima.

Resultado: _____ %

passo 18 FORMAÇÃO DO PARTICÍPIO PASSADO

Quando passeggiamo in una città italiana,
Quando passedjiamo in una tchitá italiana,
Quando passeamos por uma cidade italiana,

spesso vediamo scritto:
spesso vediamo scrito:
com freqüência vemos escrito:

    CHIUSO LA DOMENICA.
    Quiúso la domênica.
    Fechado aos domingos.

    CHIUSO PER RISTRUTTURAZIONE.
    Quiúso per ristruturatziôni.
    Fechado para reforma.

    APERTO FINO ALLE 22.
    Aperto fino ale ventidue.
    Aberto até às 22 horas.

> *As horas*
> *As horas em italiano podem ser dadas no sistema de 24 horas ou não.*
>
>   23 h = le ventitrè (le undici di sera)
>   23h10 = le ventitrè e dieci minuti (le undici e dieci di sera)

    INTERDETTO AI PEDONI.
    Interdeto ai pedôni.
    Interditado para pedestres.

VIETATO IL PARCHEGGIO.
Vietato il parquêdjio.
Proibido estacionar.

PARCHEGGIO AUTORIZZATO.
Parquêdjio autoridzato.
Estacionamento permitido.

PASSAGGIO INTERDETTO.
Passádjio interdeto.
Passagem interditada.

STRADA CHIUSA AL TRAFFICO.
Strada quiúsa al tráfico.
Estrada fechada para o trânsito.

È PROIBITO CALPESTARE L'ERBA.
É proibito calpestare lerba.
É proibido pisar na grama.

Le parole *chiuso, vietato, aperto,*
Le parole quiúso, vietato, aperto,
As palavras "fechado", "proibido", "aberto",

permesso, autorizzato e *proibito*
permesso, autoridzato e proibito
"permitido", "autorizado" e "proibido"

sono i participi passati dei verbi
sono i partitchípi passáti dei vérbi
são os particípios passados dos verbos

chiudere, vietare, aprire,
quiúdere, vietare, aprire,
"fechar", "proibir", "abrir",

permettere, autorizzare e *proibire.*
permétere, autoridzare e proibire.
"permitir", "autorizar" e "proibir".

Il participio passato

Para os verbos regulares das três conjugações, forma-se o particípio passado pela substituição das terminações -are, -ere e -ire, respectivamente, por -ato, -uto e -ito.

chiamare *(chamar)* – chiamato *(chamado)*
vendere *(vender)* – venduto *(vendido)*
finire *(acabar)* – finito *(acabado)*

Há verbos que formam o particípio passado de maneira irregular. Seguem-se alguns deles:

chiudere *(fechar)* – chiuso *(fechado)*
aprire *(abrir)* – aperto *(aberto)*
dire *(dizer)* – detto *(dito)*
fare *(fazer)* – fatto *(feito)*
essere *(ser, estar)* – stato *(sido)*
stare *(estar)* – stato *(estado)*
scrivere *(escrever)* – scritto *(escrito)*
leggere *(ler)* – letto *(lido)*
mettere *(pôr)* – messo *(posto)*
permettere *(permitir)* – permesso *(permitido)*
vedere *(ver)* – visto *(visto)*
prendere *(pegar, tomar)* – preso *(pego, tomado)*
morire *(morrer)* – morto *(morto)*
nascere *(nascer)* – nato *(nascido)*
cogliere *(colher)* – colto *(colhido)*
ridurre *(reduzir)* – ridotto *(reduzido)*
coinvolgere *(envolver)* – coinvolto *(envolvido)*

E dopo, quando entriamo in un negozio,
E dopo, quando entriamo in un negótzio,
E depois, quando entramos numa loja,

vediamo o sentiamo delle espressioni come:
vediamo o sentiamo dele espressiôni come:
vemos ou ouvimos expressões como:

PREZZI RIDOTTI.
Prêtzi ridôti.
Preços reduzidos.

Prezzi ridotti
Nessa expressão, o particípio ridotto é usado como adjetivo, ou seja, ele concorda em número e gênero com o substantivo a que se refere.

prezzo ridotto – prezzi ridotti
parola detta – parole dette

TUTTI I NOSTRI PREZZI SONO MARCATI.
Túti i nóstri prêtzi sono marcáti.
Todos os nossos preços estão marcados.

"È pagato. Ecco la sua ricevuta."
"É pagato. Eco la sua ritchevuta."
"Está pago. Aqui está o seu recibo."

E qualche volta:
E qualque volta:
E algumas vezes:

"Mi dispiace. È venduto."
"Mi dispiatche. É venduto."
"Desculpe-me. Foi vendido."

Questi sono i participi passati di
Qüésti sono i partitchípi passáti di
Estes são os particípios passados de

ridurre, marcare, pagare,
ridurre, marcare, pagare,
"reduzir", "marcar", "pagar",

ricevere e vendere.
ritchêvere e vêndere.
"receber" e "vender".

I participi passati sono impiegati dappertutto:
I partitchípi passáti sono impiegáti dapertuto:
Os particípios passados são empregados em todos os lugares:

Al cinema:
Al tchínema:
No cinema:

CONSIGLIATO AGLI ADULTI.
Consilhiato álhi adúlti.
Recomendado para adultos.

PROIBITO AI MINORI DI 16 ANNI.
Proibito ai minóri di sêditchi áni.
Proibido para menores de 16 anos.

"È cominciato?"
"É comintchiato?"
"Já começou?"

"No, è appena finito cinque minuti fa."
"No, é apena finito tchinqüe minúti fa."
"Não, acabou apenas há cinco minutos."

All'ufficio postale:
Alufítchio postale:
No correio:

LETTERE E PACCHI RACCOMANDATI.
Létere e páqui racomandáti.
Cartas e pacotes registrados.

"È assicurato?"
"É assicurato?"
"Tem seguro?"

Nelle stazioni e nei treni:
Nele statziôni e nei trêni:
Nas estações e nos trens:

INGRESSO VIETATO AI NON ADDETTI.
Ingresso vietato ai non adêti.
Entrada proibida a pessoas estranhas ao serviço.

UFFICIO OGGETTI SMARRITI.
Ufítchio odjéti smarríti.
Setor de objetos perdidos.

POSTO PRENOTATO.
Posto prenotato.
Lugar reservado.

– È occupato questo posto?
É ocupato qüesto posto?
Este lugar está ocupado?

– Sì, è occupato.
Si, é ocupato.
Sim, está ocupado.

– È permesso fumare?
É permesso fumare?
É permitido fumar?

– No, è vietato.
No, é vietato.
Não, é proibido.

Guardi, è scritto là.
Guárdi, é scrito lá.
Olhe, está escrito ali.

E nel vagone-ristorante:
E nel vagone-ristorante:
E no vagão-restaurante:

– Primo turno – il pranzo è servito.
Primo turno – il prantzo é servito.
Primeiro turno – o almoço está servido.

– Il servizio è compreso?
Il servítzio é compreso?
O serviço está incluído?

Il servizio e la mancia
Il servizio *é a taxa de serviço incluída na conta.* La mancia *é a gorjeta, que fica a critério do cliente.*

In campagna, a volte vediamo:
In campanha, a volte vediamo:
No campo, às vezes vemos:

VIETATA LA CACCIA – VIETATA LA PESCA.
Vietata la cátchia – vietata la pesca.
Proibida a caça – proibida a pesca.

ACCESSO INTERDETTO.
Atchesso interdeto.
Passagem proibida.

Gli avvisi
Nem todos os avisos são formulados com o particípio passado. Eis alguns exemplos:

senso unico = *mão única*
passaggio a livello = *passagem de nível*
rallentare = *reduzir velocidade*
deviare a destra = *desviar à direita*
incrocio pericoloso = *cruzamento perigoso*
passaggio pedonale = *passagem de pedestres*
strada senza uscita = *rua sem saída*
consegna bagagli = *guarda-volumes*
biglietteria = *bilheteria*
ufficio informazioni = *guichê de informações*
toeletta = *banheiro*
signore = *senhoras*
signori = *senhores*
uscita = *saída*
entrata = *entrada*

Ecco ancora degli esempi
Eco ancora dêlhi esêmpi
Mais alguns exemplos

del participio passato,
del partitchípio passato,
de particípio passado,

questa volta impiegato al passivo:
qüesta volta impiegato al passivo:
desta vez usado de forma passiva:

L'italiano è parlato in Italia
Litaliano é parlato initália
O italiano é falado na Itália

ed anche in vari paesi del Mediterraneo.
edanque in vári paêsi del Meditarráneo.
e também em vários países do Mediterrâneo.

È usato inoltre in differenti parti
É usato inoltre in diferênti párti
É usado além disso em diferentes lugares

del mondo, dovunque si trovano
del mondo, dovunqüe si tróvano
do mundo, onde quer que se encontrem

grandi gruppi di immigranti italiani,
grándi grúpi dimigránti italiáni,
grandes grupos de imigrantes italianos,

come negli Stati Uniti, in Argentina,
come nêlhi Státi Uníti, in Ardjentina,
como nos Estados Unidos, na Argentina,

nel Brasile, nel Canadà ed in Australia.
nel Brasile, nel Canadá ed inaustrália.
no Brasil, no Canadá e na Austrália.

> **In**
> *Diante de nomes de países, usamos a preposição* in. *Quando o nome do país é masculino, também é aceito o uso da con-*

*tração da preposição com o artigo (*nel Canadà, negli Stati Uniti, nei Paesi Bassi*). Diante dos nomes dos continentes, usamos sempre a preposição* in *(* in Africa, in Europa, in Asia*).*

La lingua italiana è conosciuta
La língua italiana é conochiuta
A língua italiana é conhecida

per la dolcezza e la bellezza
per la doltchetza e la beletza
pela delicadeza e pela beleza

dei suoi suoni, e per questo
dei suoi suóni, e per qüesto
dos seus sons, e por isso

è molto usata nel canto,
é molto usata nel canto,
é muito usada para o canto,

dall'opera fino alle canzoni popolari.
dalópera fino ale cantzôni popolári.
da ópera às canções populares.

TESTE SEU ITALIANO

Faça a correspondência entre as frases a seguir, numerando as que estão em português. Marque 5 pontos para cada resposta correta. Vejas as respostas no final da página.

1. Chiuso la domenica	Aconselhado para adultos
2. Vietato entrare	Preços reduzidos
3. Aperto fino alle 22	Mão única
4. Uscita	Fechado para reformas
5. Chiuso per ristrutturazione	Fechado aos domingos
6. Passaggio a livello	Senhoras
7. Ufficio informazioni	Proibido estacionar
8. Vietato il parcheggio	Lugar reservado
9. Signori	Aberto até às 22 horas
10. Vietato fumare	Entrada proibida
11. Incrocio pericoloso	Senhores
12. Prezzi ridotti	Objetos perdidos
13. Toeletta	Desvio à esquerda
14. Oggetti smarriti	Passagem de nível
15. Senso unico	Cruzamento perigoso
16. Posto prenotato	Banheiros
17. Consigliato agli adulti	Informações
18. Deviare a sinistra	Saída
19. Biglietteria	Proibido fumar
20. Signore	Bilheteria

Respostas: 17, 12, 15, 5, 1, 20, 8, 16, 3, 2, 9, 14, 18, 6, 11, 13, 7, 4, 10, 19

Resultado: _____ %

passo 19 — COMO FORMAR O PASSADO COM O AUXILIAR *AVERE*

Il participio passato è impiegato
Il partitchípio passato é impiegato
O particípio passado é usado

per formare i tempi composti dei verbi.
per formare i tempi composti dei vérbi.
para formar os tempos compostos dos verbos.

Per esempio, il passato prossimo.
Per esêmpio, il passato próssimo.
Por exemplo, o passato prossimo.

Si prende il presente di *avere*
Si prende il presente di avere
Toma-se o presente de avere

e si mette col participio passato del verbo.
e si mete col partitchípio passato del verbo.
e coloca-se com o particípio passado do verbo.

Ecco! Il passato è formato.
Eco! Il passato é formato.
E pronto! O passado está formado.

Ecco degli esempi con verbi che formano
Eco dêlhi esêmpi con vérbi que fórmano
Aqui estão alguns exemplos com verbos que formam

il participio passato in -*ato*
il partitchípio passato in -ato
o particípio passado em -ato

231

Il passato prossimo
É um tempo composto, isto é, formado por um verbo auxiliar mais o particípio passado. Ele corresponde ao pretérito perfeito do indicativo da língua portuguesa.

O passato prossimo é formado pelo presente do indicativo dos verbos avere *ou* essere *associado ao particípio passado do verbo principal. Veremos neste Passo apenas os verbos que formam o* passato prossimo *com o auxiliar* avere.

io ho trovato
tu hai trovato
lui ha trovato
noi abbiamo trovato
voi avete trovato
loro hanno trovato

10

Ieri ho visitato il Museo del Vaticano.
Iéri ó visitato il Museo del Vaticano.
Ontem visitei o Museu do Vaticano.

Ho guardato le statue ed i quadri.
Ó guardato le státue ediquádri.
Olhei as estátuas e os quadros.

Ho parlato a lungo con la guida.
Ó parlato a lungo con la güida.
Conversei muito tempo com o guia.

Ho ascoltato le sue spiegazioni
Ó ascoltato le sue spiegatziôni
Escutei as suas explicações

con grande interesse.
con grande interesse.
com grande interesse.

L'ho ringraziato e gli ho dato una buona mancia.
Ló ringratziato e lhi ó dato una buona mántchia.
Agradeci e dei-lhe uma boa gorjeta.

EGLI, ELLA

Ha telefonato qualcuno?
A telefonato qualcuno?
Alguém telefonou?

Sì, la signora Albertina ha chiamato.
Si, la sinhora Albertina a quiamato.
Sim, dona Albertina telefonou.

Ha lasciato un messaggio?
A lachiato un messádjio?
Deixou algum recado?

No, non ne ha lasciato.
No, non ne a lachiato.
Não, não deixou.

NOI

Abbiamo cercato un appartamento dappertutto.
Abiamo tchercato unapartamento dapertuto.
Procuramos um apartamento por todos os lugares.

Abbiamo parlato con molta gente.
Abiamo parlato con molta djente.
Falamos com muita gente.

Ma non abbiamo trovato niente.
Ma nonabiamo trovato niente.
Mas não encontramos nada.

VOI

Che cosa avete studiato oggi a scuola?
Que cosa avete studiato ôdji a scuola?
O que vocês estudaram hoje na escola?

Avete ascoltato bene il maestro?
Avete ascoltato bene il maestro?
Vocês prestaram atenção ao professor?

Avete giocato con i vostri piccoli amici?
Avete djiocato con i vóstri pícoli amítchi?
Vocês brincaram com os seus amiguinhos?

Avete mangiato i vostri panini?
Avete mandjiato i vóstri paníni?
Comeram os seus sanduíches?

LORO
I Bernardi hanno passato una buona estate?
I Bernárdi ano passato una buona estate?
Os Bernardi passaram um bom verão?

Dicono che loro hanno viaggiato molto.
Dícono que loro ano viadjiato molto.
Dizem que eles viajaram muito.

I Mancini non hanno ancora accettato
I Mantchíni nonano ancora atchetato
Os Mancini ainda não aceitaram

il nostro invito per sabato.
il nostro invito per sábato.
o nosso convite para sábado.

Spero che non lo abbiano dimenticato.
Spero que non lo ábiano dimenticato.
Espero que não o tenham esquecido.

Ecco alcuni esempi di verbi
Eco alcúni esêmpi di vérbi
Eis alguns exemplos de verbos

che formano il participio passato in -*uto*.
que fórmano il partitchípio passato in -uto.
que formam o particípio passado em -uto.

Ci scusi, non abbiamo potuto
Tchi scúsi, non abiamo potuto
Desculpe-nos, não pudemos

arrivare più presto perchè
arrivare piu presto perquê
chegar mais cedo porque

ho dovuto aspettare mia moglie.
ó dovuto aspetare mia molhe.
tive de esperar a minha esposa.

Ha perduto più di un'ora
A perduto piu di unora
Ela perdeu mais de uma hora

soltanto per vestirsi.
soltanto per vestírsi.
apenas para se vestir.

Ecco alcuni esempi di verbi
Eco alcúni esêmpi di vérbi
Aqui estão alguns exemplos de verbos

che formano il participio passato in -*ito*.
que fórmano il partitchípio passato in -ito.
que formam o particípio passado em -ito.

– Hai finito di scrivere ad Elena?
Ai finito di scrívere adelena?
Terminou de escrever para Elena?

– Sì, ho finito di scriverle
Si, ó finito di scríverle
Sim, acabei de escrever para ela

due ore fa, e ho già spedito la lettera.
due ore fa, e ó djiá spedito la létera.
há duas horas, e já mandei a carta.

Há muito tempo
Observe as expressões:
   molto tempo fa = *há/faz muito tempo*
   due anni fa = *há/faz dois anos*
   un'ora fa = *há/faz uma hora*

Alcuni verbi hanno
Alcúni vérbi ano
Alguns verbos têm

il participio passato irregolare:
il partitchípio passato irregoláre:
o particípio passado irregular:

– Ha letto l'articolo su Enrico Lamore?
A leto lartícolo su Enrico Lamore?
Leu o artigo sobre Enrico Lamore?

– Sì, l'ho visto.
Si, ló visto.
Sim, vi.

È scritto sul giornale di stamane.
É scrito sul djiornale di stamane.
Está no jornal da manhã.

Ma non l'ho ancora letto.
Ma nonló ancora leto.
Mas não o li ainda.

Chi è? Che cosa ha fatto?
Qui é? Que cosa a fato?
Quem é ele? O que fez?

– È un grande don Giovanni.
É un grande don Djiováni.
É um grande Dom Juan.

236

Si figuri. L'articolo dice
Si figúri. Lartícolo ditche
Imagine. O artigo diz

che ha avuto cinque mogli.
que a avuto tchínqüe môlhi.
que ele teve cinco mulheres.

> **Avere**
> *O verbo* avere *forma o* passato prossimo *com o próprio verbo* avere*:*
> Lei ha avuto un raffreddore = *Ela teve um resfriado*

– Formidabile! Si può dire
Formidábile! Si puó dire
Formidável! Pode-se dizer

che ha vissuto molto, non crede?
que a vissuto molto, non crede?
que viveu muito, não acha?

CONVERSAÇÃO: O QUE ACONTECEU NO ESCRITÓRIO

LA SEGRETARIA:
La segretária:
A secretária:
   Buon giorno, signor Direttore.
   Buon djiorno, sinhor Diretore.
   Bom dia, senhor diretor.

   Ha fatto un buon viaggio?
   A fato un buon viádjio?
   O senhor fez boa viagem?

IL DIRETTORE:
Il diretore:
O diretor:
   Abbastanza buono, grazie.
   Abastantza buono, grátzie.
   Razoável, obrigado.

LA SEGRETARIA:
   Lei ci è mancato molto.
   Lei tchi é mancato molto.
   O senhor nos fez muita falta.

>
> *Fazer falta*
> Note o emprego de mancare. *A tradução literal de* Lei ci è mancato *seria "O senhor nos faltou".*

IL DIRETTORE:
   Davvero? C'è qualcosa di nuovo?
   Davero? Tché qualcosa di nuovo?
   De verdade? Há algo de novo?

LA SEGRETARIA:
Sì, signore, Marino ha venduto
Si, sinhore, Marino a venduto
Sim, senhor, Marino vendeu

sei automobili durante la Sua assenza.
sei automóbili durante la Sua assentza.
seis automóveis durante a sua ausência.

IL DIRETTORE:
Molto bene. E gli altri
Molto bene. E lhi áltri
Muito bem. E os outros

venditori, che cosa hanno fatto?
venditôri, que cosa ano fato?
vendedores, o que fizeram?

LA SEGRETARIA:
Hanno venduto quattro dei nostri
ano venduto quatro dei nóstri
Venderam quatro dos nossos

nuovi modelli, due camion
nuóvi modêli, due cámion
novos modelos, dois caminhões

> *Invariáveis no plural*
> *Palavras que terminam em consoante (quase sempre palavras de origem estrangeira) ou oxítonas (que em italiano são sempre acentuadas) não alteram sua forma no plural:*
>
> lo sport – gli sport
> la città – le città

e dieci motociclette.
e diétchi mototchiclete.
e dez motocicletas.

IL DIRETTORE:
Eccellente, benone.
Etchelente, benone.
Excelente, ótimo.

Ed i depositi alla banca,
Ed i depósiti ala banca,
E os depósitos no banco,

chi li ha fatti?
qui li a fáti?
quem os fez?

> *A concordância depende da posição*
> Sempre que o objeto direto, sob a forma de um pronome, precede um tempo composto, o particípio concorda em número e gênero com o pronome. Observe a diferença:
>
> Ieri ho visto una bellissima ragazza.
> *Ontem vi uma moça muito bonita.*
>
> Oggi l'ho vista di nuovo.
> *Hoje a vi de novo.*

LA SEGRETARIA:
Io stessa.
Io stessa.
Eu mesma.

Li ho fatti tutti i giorni
Li ó fáti túti i djiôrni
Eu os fiz todos os dias

prima di mezzogiorno.
prima di medzodjiorno.
antes do meio-dia.

IL DIRETTORE:
Bene. Vedo che non avete perduto tempo
Bene. Vedo que nonavete perduto tempo
Bom. Vejo que vocês não perderam tempo

durante la mia assenza.
durante la mia assentza.
durante a minha ausência.

LA SEGRETARIA:
Non ho mai lasciato l'ufficio
Nonó mai lachiato lufítchio
Não saí do escritório nenhuma vez

prima delle sette o delle otto
prima dele sete o dele oto
antes das sete ou das oito

durante tutta la settimana.
durante tuta la setimana.
durante toda a semana.

Ho dovuto restare fino a tardi
Ó dovuto restare fino a tárdi
Tive que ficar até tarde

per finire la posta.
per finire la posta.
para acabar a correspondência.

IL DIRETTORE:
E Michelina, L'ha aiutata?
E Miquelina, La aiutata?
E Miquelina, ajudou a senhora?

LA SEGRETARIA:
Non ha potuto venire per tre giorni,
Noná potuto venire per tre djiôrni,
Ela não pôde vir por três dias,

a causa di un raffreddore,
a causa di un rafredore,
por causa de um resfriado,

niente di grave.
niente di grave.
nada de grave.

IL DIRETTORE:
E la nuova dattilografa,
E la nuova datilógrafa,
E a nova datilógrafa,

ha lavorato bene?
a lavorato bene?
trabalhou bem?

LA SEGRETARIA:
Per dire la verità,
Per dire la veritá,
Para dizer a verdade,

non ha fatto un gran ché.
noná fato un gran quê.
não fez grande coisa.

> **Un gran ché**
> *Esta expressão é muito utilizada em vários contextos.*
>
> Questo film non è un gran ché.
> *Este filme não é grande coisa.*

Ha passato la maggior parte del tempo
A passato la madjior parte del tempo
Passou a maior parte do tempo

al telefono.
al teléfono.
[falando] ao telefone.

> ***Infinitivo ou gerúndio?***
> *Há casos em que, no português, é indiferente usarmos o gerúndio ou o infinitivo do verbo. Em italiano, no entanto, há uma diferença nítida de sentido. Observe:*

Noi abbiamo visto Maria uscire di casa.
Vimos Maria sair de casa.
(ou) Vimos Maria saindo de casa.

Noi abbiamo visto Maria uscendo di casa.
Vimos Maria (quando nós estávamos) saindo de casa.

IL DIRETTORE:
A proposito. Ha ricevuto
A propósito. A ritchevuto
Falando nisso. A senhora recebeu

messaggi per me?
messádji per me?
recados para mim?

LA SEGRETARIA:
Sì, e abbiamo conservato un elenco
Si, e abiamo conservato unelenco
Sim, e fizemos uma lista

delle telefonate che abbiamo ricevuto.
dele telefonate que abiamo ritchevuto.
dos telefonemas que recebemos.

Una signora, una certa Lucrezia,
Una sinhora, una tcherta Lucrétzia,
Uma senhora, uma tal Lucrécia,

ha telefonato parecchie volte.
a telefonato paréquie volte.
telefonou várias vezes.

Ma non ha voluto lasciare nè il suo cognome
Ma noná voluto lachiare ne il suo conhome
Mas não quis deixar nem o sobrenome

nè il suo numero telefonico.
ne il suo número telefónico.
nem o seu número de telefone.

IL DIRETTORE:
    Vediamo... Ah sì, credo
    Vediamo... A si, credo
    Vejamos... Ah, sim, creio

    di sapere chi è.
    di sapere qui é.
    que sei quem é.

    Dove ha messo i miei messaggi?
    Dove a messo i méi messádji?
    Onde pôs os meus recados?

LA SEGRETARIA:
    Nel cassetto della Sua scrivania.
    Nel casseto dela Sua scrivania.
    Na gaveta da sua escrivaninha.

    L'ho chiuso a chiave. Eccola qui.
    Ló quiúso a quiave. Écola qüi.
    Fechei-a a chave. Aqui está ela.

IL DIRETTORE:
    I miei complimenti, signorina;
    I míe complimênti, sinhorina;
    Meus parabéns, senhorita;

    Lei ha dimostrato molta discrezione.
    Lei a dimostrato molta discretzione.
    A senhora demonstrou muita discrição.

    E giacchè ha lavorato molto,
    E djiaquê a lavorato molto,
    E, já que trabalhou muito,

    ho deciso di darle l'aumento di stipendio
    ó detchiso di darle laumento distipendio
    decidi dar-lhe o aumento de salário

del quale avevamo già parlato.
del quale avevamo djiá parlato.
do qual já havíamos falado.

LA SEGRETARIA:
Veramente? La ringrazio, signor Direttore.
Veramente? La ringrátzio, sinhor Diretore.
É mesmo? Agradeço-lhe muito, senhor diretor.

TESTE SEU ITALIANO

Verta as seguintes frases para o italiano, usando o *passato prossimo* com o auxiliar *avere*. Marque 10 pontos para cada resposta correta. Veja as respostas no final.

1. Ontem eu visitei o Museu.

2. Eu olhei os quadros.

3. Alguém telefonou?

4. Renata telefonou.

5. Ela deixou recado?

6. O senhor fez boa viagem?

7. O que o senhor fez?

8. Eles não esqueceram.

9. O que o senhor disse a ela?

10. Não pudemos chegar mais cedo.

Respuestas: 1. Ieri ho visitato il Museo. 2. Ho guardato i quadri. 3. Ha telefonato qualcuno? 4. Renata ha chiamato. 5. Ha lasciato un messaggio? 6. Ha fatto un buon viaggio? 7. Che cosa ha fatto? 8. Non hanno dimenticato. 9. Che cosa le ha detto? 10. Non abbiamo potuto arrivare più presto.

Resultado: _____ %

passo 20 — FORMAÇÃO DO PASSADO COM O AUXILIAR *ESSERE*

Ecco alcuni verbi che formano
Eco alcúni vérbi que fórmano
Aqui estão alguns verbos que formam

il passato prossimo col verbo *essere*;
il passato próssimo col verbo éssere;
o passato prossimo com o verbo essere;

alcuni di questi verbi
alcúni di qüésti vérbi
alguns desses verbos

esprimono movimento
esprímono movimento
expressam movimento

Ponto de partida e/ou de chegada
Os verbos que formam o passato prossimo *com o auxiliar* essere *não exprimem simples movimento, mas um movimento que tem ponto de partida e/ou de chegada. É o caso, por exemplo, dos verbos:*

partire *(partir)* – arrivare *(chegar)*
andare *(ir)* – venire *(vir)*
tornare, ritornare *(voltar)*
entrare *(entrar)* – uscire *(sair)*
salire *(subir)* – scendere *(descer)*
cadere *(cair)*

Também requerem o auxiliar essere *alguns verbos que exprimem idéia de permanência:*

stare *(estar)*
rimanere, restare *(ficar, permanecer)*

Todos os verbos reflexivos e verbos como:

essere *(ser, estar)*
succedere *(acontecer)*
costare *(custar)*
piacere *(agradar)*
riuscire *(conseguir)*
sembrare *(parecer)*
nascere *(nascer)*
morire *(morrer)*
diventare *(tornar-se)*
accadere *(acontecer)*

d'arrivo e di partenza, come:
darrivo e di partentza, come:
de chegada e de partida, como:

andare, venire, entrare,
andare, venire, entrare,
"ir", "vir", "entrar",

uscire, arrivare, partire,
uchire, arrivare, partire,
"sair", "chegar", "partir",

salire, scendere, ecc.
salire, chêndere, etchétera.
"subir", "descer", etc.

Ecco degli esempi:
Eco dêlhi esêmpi:
Aqui estão alguns exemplos:

Siamo arrivati in ritardo perchè
Siamo arriváti in ritardo perquê
Nós chegamos atrasados porque

Concordância entre sujeito e particípio passado
Com os verbos que fazem o passato prossimo *com o auxiliar* essere, *o particípio passado concorda em número e gênero com o sujeito.*

siamo stati bloccati dal traffico.
siamo státi blocáti dal tráfico.
ficamos parados no trânsito.

Siamo partiti da casa molto in anticipo.
Siamo partíti da casa molto in antítchipo.
Saímos de casa com muita antecedência.

Siamo entrati in un tassì,
Siamo entráti in un tassi,
Entramos num táxi,

vicino a Piazza San Pietro;
vitchino a Piatza San Pietro;
perto da Praça São Pedro;

e lì, il tassì non si è mosso di un centimetro
e li, il tassi non si é mosso di un tchentímetro
e, ali, o táxi não se moveu um centímetro

per una mezz'ora.
per una medzora.
por meia hora.

Allora, siamo scesi dal tassì
Alora, siamo chêsi dal tassi
Então, descemos do táxi

e siamo venuti con la metropolitana.
e siamo venúti con la metropolitana.
e viemos de metrô.

Ci sono altri due verbi –
Tchi sono áltri due vérbi –
Existem dois outros verbos –

molto importanti –
molto importánti –
muito importantes –

nascere e morire, che prendono
náchere e morire, que prêndono
"nascer" e "morrer", usados

anche loro il verbo *essere.*
anque loro il verbo éssere.
também com o verbo essere.

Papa Giovanni XXIII è nato
Papa Djiováni ventitrê é nato
O Papa João XXIII nasceu

nel 1881,
nel mile ototchentotantuno,
em 1881,

ed è morto a Roma
edé morto a Roma
e morreu em Roma

nel 1963,
nel mile novetchento sessantatrê,
em 1963,

all'età di 82 anni.
aletà di otantadue áni.
com 82 anos.

Tutti i verbi riflessivi, come
Túti i vérbi riflessívi, come
Todos os verbos reflexivos, como

alzarsi, lavarsi, vestirsi, divertirsi, ecc.,
altzársi, lavársi, vestírsi, divertírsi, etchétera,
"levantar-se", "lavar-se", "vestir-se", "divertir-se", etc.,

formano i tempi composti con *essere*.
fórmano i tempi composti con éssere.
formam os tempos compostos com essere.

Questa mattina mi sono alzato di buon'ora.
Qüesta matina mi sono altzato di buonora.
Esta manhã levantei-me cedo.

Mi sono vestito in fretta.
Mi sono vestito in freta.
Vesti-me correndo.

Mi sono detto:
Mi sono deto:
E disse para mim mesmo:

"Per una volta, non sarò in ritardo."
"Per una volta, non saró in ritardo."
"Ao menos uma vez, não chegarei atrasado."

E mi sono sbrigato in fretta
E mi sono sbrigato in freta
E preparei-me rapidamente

per uscire di casa in tempo.
per uchire di casa in tempo.
para sair de casa em tempo.

Non appena mi sono seduto
Nonapena mi sono seduto
Assim que me sentei

per fare colazione, Maria
per fare colatzione, Maria
para tomar o café da manhã, Maria

> *Mais uma vez o verbo* **fare**
> *O verbo* fare *é freqüentemente usado em locuções verbais:*
> fare colazione = *tomar café da manhã*

far(e) vedere = *mostrar*
far(e) sapere = *informar*
far(e) una visita = *visitar*
far(e) ritorno = *retornar*
far(e) a tempo = *estar em tempo*
far(e) tardi = *atrasar, demorar*

si è ferita tagliando il pane.
si é ferita talhando il pane.
feriu-se cortando o pão.

Mi sono preso cura di lei,
Mi sono preso cura di lei,
Fui cuidar dela,

e per questo ho fatto tardi di nuovo.
e per qüesto ó fato tárdi di nuovo.
e por isso me atrasei novamente.

Fortunatamente, quando sono arrivato in ufficio,
Fortunatamente, quando sono arrivato in ufítchio,
Por sorte, quando cheguei ao escritório,

il padrone non se n'è accorto.
il padrone non se né acorto.
o chefe nem percebeu.

> **Accorgersi ne = accorgersene**
> Accorgersi *significa "dar-se conta", "perceber". Ne é usado aqui com o sentido de "disso", "desse fato". Neste caso, o pronome* si *torna-se* se *porque quando dois pronomes vêm antes do verbo, o primeiro, se terminar em* i*, troca o* i *por* e*.*

Il participio passato con *essere*
Il partitchípio passato con éssere
O particípio passado com essere

si accorda col soggetto:
si acorda col sodjeto:
concorda com o sujeito:

    Il signore è uscito.
    Il sinhore é uchito.
    O senhor saiu.

    Anche la signora è uscita.
    Anque la sinhora é uchita.
    A senhora também saiu.

    Non sono ancora ritornati.
    Non sono ancora ritornáti.
    Não voltaram ainda.

Il participio passato con *avere*
Il partitchípio passato con avere
O particípio passado com avere

si accorda col complemento oggetto,
si acorda col complemento odjeto,
concorda com o objeto direto,

quando questo è rappresentato dal pronome posto prima del verbo.
quando qüesto é rapresentato dal pronome posto prima del verbo.
quando ele é representado pelo pronome, antes do verbo.

– Chi ha preso la lettera
   Qui a preso la létera
   Quem pegou a carta

   che ho messo sul tavolo?
   que ó messo sul távolo?
   que eu coloquei sobre a mesa?

– Non l'ha presa nessuno.
   Non lá presa nessuno.
   Ninguém a pegou.

L'ha messa nella Sua tasca.
Lá messa nela Sua tasca.
O senhor a colocou no seu bolso.

− E le altre lettere, le ha scritte?
E le altre létere, le a scrite?
E as outras cartas, o senhor escreveu?

− Sì, e le ho già spedite.
Si, e le ó djiá spedite.
Sim, e já as enviei.

CONVERSAÇÃO: O QUE ACONTECEU NA FESTA

Atenção!
Neste diálogo há verbos que formam o passato prossimo com avere *e outros que o formam com* essere.

PIETRO:
Ti sei divertito ieri sera?
Ti sei divertito iéri sera?
Você se divertiu ontem à noite?

CARLO:
Più o meno. Sono uscito con Felicia.
Piu o meno. Sono uchito con Felítchia.
Mais ou menos. Eu saí com a Felícia.

PIETRO:
E che è successo?
E que é sutchesso?
E o que aconteceu?

CARLO:
Si è incollerita e non vuole più parlarmi.
Si é incolerita e non vuole piu parlármi.
Ela ficou brava e não quer mais falar comigo.

PIETRO:
Come mai? Che è avvenuto?
Come mai? Que é avenuto?
Por quê? O que aconteceu?

CARLO:
Siamo andati da Marcello.
Siamo andáti da Martchelo.
Fomos à casa do Marcelo.

Abbiamo ballato, cantato,
Abiamo balato, cantato,
Dançamos, cantamos,

e ci siamo divertiti molto.
e tchi siamo divertíti molto.
e nos divertimos muito.

Tutto è andato bene
Tuto é andato bene
Tudo correu muito bem

fino all'arrivo di Beatrice.
fino alarrivo di Beatrítche.
até a chegada da Beatriz.

Mi ha fatto gli occhi dolci.
Mi a fato lhi óqui dôltchi.
Ela ficou me olhando...

> **Fare gli occhi dolci**
> *É, literalmente, "fazer olhos doces".*

Ho ballato un poco con lei.
Ó balato un poco con lei.
Dancei um pouco com ela.

E abbiamo anche parlato un poco.
E abiamo anque parlato un poco.
E conversamos um pouco também.

PIETRO:
Ora vedo! E Felicia
Ora vedo! E Felítchia
Agora estou entendendo! E Felícia

si è incollerita.
si é incolerita.
ficou brava.

CARLO:
Esattamente. E ha voluto
Esatamente. E a voluto
Exatamente. E quis

rincasare immediatamente.
rincasare imediatamente.
voltar para casa imediatamente.

Non ho potuto calmarla.
Nonó potuto calmarla.
Não pude acalmá-la.

Ho dovuto chiamare un tassì
Ó dovuto quiamare un tassi
Tive de chamar um táxi

per portarla a casa.
per portarla a casa.
para levá-la para casa.

Quando l'ho lasciata, non mi ha detto
Quando ló lachiata, non mi a deto
Quando a deixei, ela não me disse

nè grazie nè arrivederci.
ne grátzie ne arrivedêrtchi.
nem obrigada nem até logo.

PIETRO:
Stamattina, le hai parlato?
Stamatina, le ai parlato?
Hoje pela manhã, você falou com ela?

CARLO:
Le ho telefonato.
Le ó telefonato.
Telefonei para ela.

Ho cercato di parlarle.
Ó tchercato di parlarle.
Tentei falar com ela.

> ***Quando usar a preposição* di *com o infinitivo***
> dire di = *dizer que*
> promettere di = *prometer que*
> finire di = *terminar de*
> dimenticare di = *esquecer-se de*
> ringraziare di = *agradecer por*
> permettere di = *permitir que*
> rifiutare di = *recusar*
> cercare di = *tentar*

Ma ha interrotto la comunicazione
Ma a interroto la comunicatzione
Mas ela desligou o telefone

non appena ha riconosciuto la mia voce.
nonapena a riconochiuto la mia votche.
assim que reconheceu a minha voz.

PIETRO:
Allora, non ti ha lasciato
Alora, non ti a lachiato
Então, não lhe deu

nemmeno tempo di spiegarti.
nemeno tempo di spiegárti.
nem mesmo tempo para explicações.

Cosa vuoi?
Cosa vuói?
O que você quer?

Felicia è sempre stata gelosa.
Felítchia é sempre stata djelosa.
Felícia sempre foi ciumenta.

CARLO:
È possibile...
É possíbile...
É possível...

ma non ho mai avuto problemi
ma nonó mai avuto problêmi
mas eu nunca tive problemas

con lei... prima, cioè.
con lei... prima tchioé.
com ela... quero dizer, antes.

PIETRO:
C'è sempre la prima volta.
Tché sempre la prima volta.
Existe sempre a primeira vez.

Vuoi un consiglio?
Vuói un consilho?
Você quer um conselho?

Mandale dei fiori,
Mándale dei fiôri,
Mande-lhe flores,

se non l'hai ancora fatto.
se non lai ancora fato.
se não o fez ainda.

Un tale gesto metterà tutto a posto.
Un tale djesto meterá tuto a posto.
Esse gesto vai pôr tudo no lugar.

TESTE O SEU ITALIANO

Complete com o particípio passado dos verbos entre parênteses. Marque 10 pontos para cada resposta correta. Veja a solução no final.

1. Siamo _____ in ritardo. (fem.)
   (arrivare)

2. Siamo _____ dal tassì. (masc.)
   (uscire)

3. Siamo _____ con la metropolitana. (masc.)
   (venire)

4. Mi sono _____ di buon'ora. (masc.)
   (alzare)

5. Mi sono _____ in fretta. (fem.)
   (vestire)

6. Paola non è ancora _____ .
   (arrivare)

7. Que cosa è _____ ?
   (succedere)

8. Siamo _____ da Marcello. (masc.)
   (andare)

9. Il signor Bianchi è _____ .
   (partire)

10. Quando è _____ Papa Giovanni XXIII?
    (morire)

Respostas: 1. arrivate 2. usciti 3. venuti 4. alzato 5. vestita 6. arrivata 7. successo 8. andati 9. partito 10. morto

Resultado: _____ %

passo 21 — USO DO CONDICIONAL PARA PEDIDOS, CONVITES E DISCURSO INDIRETO

L'espressione *vorrei* è un esempio
Lespressione vorrei é unesêmpio
A expressão vorrei *é um exemplo*

del condizionale usato in modo raffinato.
del conditzionale usato in modo rafinato.
do condicional usado com gentileza.

> **Il condizionale**
> *Não é um tempo, mas um modo verbal; corresponde ao futuro do pretérito em português. O condicional já apareceu anteriormente na forma* io vorrei *("eu gostaria"), que é um modo polido de dizer* io voglio *("eu quero").*

Il condizionale si usa spesso
Il conditzionale si usa spesso
O condicional se usa freqüentemente

in inviti, in suggerimenti,
ininvíti, in sudjerimênti,
em convites, em sugestões,

in offerte o in domande, come:
inoferte o in domande, come:
em ofertas ou em perguntas, como:

Vorrebbe qualcosa da bere?
Vorrebe qualcosa da bere?
O senhor gostaria de beber alguma coisa?

Potrebbe venire con noi.
Potrebe venire con noi.
O senhor poderia vir conosco.

Per formare il condizionale,
Per formare il conditzionale,
Para formar o condicional,

si aggiungono le terminazioni
si adjiúngono le terminatziôni
adicionam-se as terminações

-erei, -eresti; -erebbe; -eremmo; -ereste; -erebbero

alla radice del infinito.
ala raditche delinfinito.
ao radical do infinitivo.

A formação do condicional presente
O condicional se forma da mesma forma que o futuro, só que com suas terminações específicas. Todos os verbos que são irregulares no futuro o são também no condicional.

infinito	futuro	condicional
parlare	io parlerò	io parlerei *(falaria)*
temere	io temerò	io temerei *(temeria)*
partire	io partirò	io partirei *(partiria)*
andare	io andrò	io andrei *(iria)*
avere	io avrò	io avrei *(teria)*
essere	io sarò	io sarei *(seria)*

Veja a conjugação do verbo parlare *no condicional:*

io parlerei
tu parleresti
lui parlerebbe
noi parleremmo
voi parlereste
loro parlerebbero

Degli esempi:
Dêlhi esêmpi:
Alguns exemplos:

– Potrei farle una fotografia?
Potrei farle una fotografia?
Eu poderia tirar uma fotografia sua?

– Ne farebbe una anche a me?
Ne farebe una anque a me?
O senhor poderia tirar uma de mim também?

– Con questo bel tempo, non vi piacerebbe
Con qüesto bel tempo, non vi piatcherebe
Com este tempo bom, vocês não gostariam

fare una passeggiata in automobile?
fare una passedjiata in automóbile?
de fazer um passeio de carro?

Potremmo andare al Ristorante
Potremo andare al Ristorante
Poderíamos ir ao Restaurante

Villa dei Cesari per pranzare.
Vila dei Tchésari per prantzare.
Vila dos Césares para almoçar.

Vi piacerebbe?
Vi piatcherebe?
Gostariam?

– Tanto. Ma non oggi.
Tanto. Ma non ôdji.
Muito. Mas não hoje.

– Sarebbe possibile domani?
Sarebe possíbile dománi?
Seria possível amanhã?

– Sì, credo che domani potrei.
Si, credo que dománi potrei.
Sim, acho que amanhã eu poderia.

Ecco come si usa il condizionale
Eco come si usa il conditzionale
Eis como se usa o condicional

per domandare qualche cosa
per domandare qualque cosa
para pedir alguma coisa

con educazione e cortesia.
coneducatziône e cortesia.
com educação e cortesia.

– Potrebbe farmi un favore?
Potrebe fármi un favore?
Poderia fazer-me um favor?

Le sarebbe possibile
Le sarebe possíbile
Seria possível o senhor

prestarmi cinque mila lire?
prestármi tchinqüe mila lire?
emprestar-me cinco mil liras?

Potrei restituirgliele fra una settimana.
Potrei restituírlhele fra una setimana.
Eu poderia devolvê-las ao senhor dentro de uma semana.

> ***O pronome se liga ao infinitivo***
> *Os verbos no infinitivo atraem os pronomes, que se ligam a eles. Assim:* restituire + gli + le = restituirgliele *("devolver-lhas", forma pouco usada hoje no Brasil).*

– Lo farei volentieri,
Lo farei volentiéri,
Faria isso com prazer,

ma non ho denaro con me.
ma nonó denaro con me.
mas não tenho dinheiro comigo.

– Non avrebbe almeno mille lire?
Nonavrebe almeno mile lire?
O senhor não teria pelo menos mil liras?

Ci si serve del condizionale anche
Tchi si serve del conditzionale anque
Nós usamos o condicional também

per raccontare ciò che è stato detto
per racontare tchió que é stato deto
para contar o que foi dito

> **Ciò che**
> Ciò che *equivale a "isto que", "isso que", "o que", "aquilo que".*
>
> Mi dia ciò che ha = *Dê-me o que tem.*

nel passato su progetti futuri.
nel passato su prodjéti futúri.
no passado sobre projetos futuros.

> *Ela disse que...*
> *O condicional também é usado para contar o que alguém disse no passado a respeito de seus planos futuros.*
>
> Lui dice che verrà domani = *Ele diz que virá amanhã*
> Lui ha detto che verrebbe domani = *Ele disse que viria amanhã*

– Il padrone le ha domandato
Il padrone le a domandato
O chefe lhe perguntou

quando prenderebbe le ferie?
quando prenderêbe le fêrie?
quando a senhora tiraria férias?

– No, ma mi ha detto che egli
No, ma mi a deto que êlhi
Não, mas me disse que ele

sarebbe assente in luglio,
sarebe assente in lúlhio,
estaria ausente em julho,

e che in agosto sarebbe stato in America
e que in agosto sarebe stato in América
e que em agosto estaria na América

per una conferenza.
per una conferentza.
para uma conferência.

– In questo caso, sarebbe meglio per Lei
In qüesto caso, sarebe melho per Lei
Nesse caso, seria melhor para a senhora

prendere le ferie più tardi.
prêndere le fêrie piu tárdi.
tirar suas férias mais tarde.

Dovrebbe domandargli se Lei
Dovrebe domandárlhi se Lei
A senhora deveria perguntar a ele se

potesse prenderle in settembre.
potêsse prenderle in setembre.
poderia tirá-las em setembro.

Così non avrebbe nessuna difficoltà
Cosi nonavrebe nessuna dificoltá
Assim não teria nenhuma dificuldade

a trovare posto negli alberghi.
a trovare posto nelhialbérgui.
para encontrar lugar nos hotéis.

CONVERSAÇÃO: RECADO POR TELEFONE

– Pronto? Potrei parlare
Pronto? Potrei parlare
Alô? Eu poderia falar

> **Per le conversazioni al telefono**
> Pronto *equivale ao nosso "alô". Seguem-se outras expressões usadas em conversações telefônicas:*
>
> Rimanga in linea = *Espere na linha*
> Nessuno risponde = *Ninguém atende*
> Ho sbagliato numero = *Foi engano*
> Con chi parlo? = *Com quem estou falando?*

con la signorina Giuliani?
con la sinhorina Djiuliáni?
com a senhorita Giuliani?

– Non c'è, signore; è uscita.
Non tché, sinhore; é uchita.
Ela não está, senhor; saiu.

– Ma mi ha detto che starebbe
Ma mi a deto questarebe
Mas ela me disse que estaria

a casa a quest'ora!
a casa a qüestora!
em casa a esta hora!

Non ha detto quando tornerebbe?
Noná deto quando tornerebe?
Ela não disse quando voltaria?

– Ha lasciato detto che forse
A lachiato deto que forse
Ela disse que talvez

sarebbe in ritardo,
sarebe in ritardo,
se atrasasse,

> **Uma questão de tradução**
> Neste caso, o condicional (sarebbe in ritardo) é traduzido pelo imperfeito do subjuntivo ("atrasasse"), requisito do advérbio "talvez".

che aveva delle compere da fare prima,
que aveva dele cômpere da fare prima,
que tinha algumas compras para fazer antes,

e che, dopo, sarebbe andata
e que, dopo, sarebe andata
e que, depois, iria

a prendere una tazza di caffè
a prêndere una tatza di café
tomar uma xícara de café

in casa di un'amica,
in casa di unamica,
em casa de uma amiga,

e che rientrerebbe a casa verso le otto.
e que rientrerebe a casa verso le oto.
e que voltaria para casa por volta das oito horas.

Avrebbe la gentilezza di telefonare più tardi?
Avrebe la djentiletza di telefonare piu tárdi?
O senhor faria a gentileza de telefonar mais tarde?

– Certamente. Ma potrebbe dire alla signorina Giuliani
Tchertamente. Ma potrebe dire ala sinhorina Djiuliáni
Sem dúvida. Mas a senhora poderia dizer à senhorita Giuliani

che il signor Bianchini ha telefonato?
que il sinhor Bianquíni a telefonato?
que o senhor Bianchini telefonou?

Prego, le dica di chiamarmi.
Prego, le dica di quiamármi.
Por favor, peça-lhe para me telefonar.

TESTE SEU ITALIANO

Verta as frases seguintes para o italiano. Marque 10 pontos para cada resposta correta. Veja a solução no final.

1. O senhor gostaria de visitar a Villa Borghese?

   _____

2. Ela disse que viria às oito horas.

   _____

3. Quando o senhor sairia de férias?

   _____

4. O senhor gostaria de alguma coisa para beber?

   _____

5. Eu gostaria de comprar selos.

   _____

6. Eu poderia tirar uma fotografia?

   _____

7. Seria melhor ir embora agora.

   _____

8. Gostaríamos de ver as Catacumbas.

   _____

9. Eu poderia falar com Cláudia?

   _____

10. Poderia fazê-lo?

_____

Resultado: _____ %

Respostas: 1. Vorrebbe visitare Villa Borghese? 2. Ha detto che verrebbe alle otto. 3. Quando Lei prenderebbe le ferie? 4. Vorrebbe qualche cosa da bere? 5. Vorrei comprare dei francobolli. 6. Potrei fare una fotografia? 7. Sarebbe meglio andare via adesso. 8. Vorremmo vedere le Catacombe. 9. Potrei parlare con Claudia? 10. Potrebbe farlo?

passo 22 — O IMPERFEITO: TEMPO USADO NAS NARRATIVAS

Quando usiamo espressioni come
Quando usiamo espressiôni come
Quando usamos expressões como

"Mio padre diceva sempre..."
"Mio padre ditcheva sempre..."
"Meu pai sempre dizia...",

o "quando ero giovane..."
o "quando ero djióvane..."
ou "quando eu era jovem...",

o "quando abitavamo in Lombardia..."
o "quando abitávamo in Lombardia..."
ou "quando morávamos na Lombardia...",

o "quando eravamo al Liceo..."
o "quando eravamo al Litcheo..."
ou "quando estávamos no colégio...",

o altre frasi par descrivere azioni
o altre frási per descrívere atziôni
ou outras frases para descrever ações

ripetute o continuate nel passato
ripetute o continuate nel passato
repetidas ou continuadas no passado,

noi usiamo l'imperfetto.
nôi usiámo limperfeto.
usamos o imperfeito.

Imperfetto = *imperfeito*
O uso do imperfetto *em italiano é o mesmo do imperfeito do indicativo em português.*

Paolo cantava quando era giovane.
Paulo cantava quando era jovem.

Non volevamo disturbarla.
Não queríamos incomodá-lo.

Aqui está o modelo do imperfeito *para os verbos das três conjugações. Observe as terminações:*

	parlare	scrivere	capire
io	parl*avo*	scriv*evo*	cap*ivo*
tu	parl*avi*	scriv*evi*	cap*ivi*
lui	parl*ava*	scriv*eva*	cap*iva*
noi	parl*avamo*	scriv*evamo*	cap*ivamo*
voi	parl*avate*	scriv*evate*	cap*ivate*
loro	parl*avano*	scriv*evano*	cap*ivano*

Alguns verbos irregulares no imperfetto*:*

	essere	dire	bere	fare
io	ero	dicevo	bevevo	facevo
tu	eri	dicevi	bevevi	facevi
lui	era	diceva	beveva	faceva
noi	eravamo	dicevamo	bevevamo	facevamo
voi	eravate	dicevate	bevevate	facevate
loro	erano	dicevano	bevevano	facevano

Em qualquer verbo conjugado no imperfetto, *as cinco primeiras pessoas são sempre paroxítonas, e a última é sempre proparoxítona.*

Per riconoscere l'imperfetto
Per riconóchere limperfeto
Para reconhecer o imperfeito

in conversazione, si noti
in conversatzione, si nóti
na conversação, nota-se

la lettera -v- nelle terminazioni
la létera vi nele terminatziôni
a letra -v- nas terminações

di tutte le persone di questo tempo.
di tute le persone di qüesto tempo.
de todas as pessoas deste tempo.

Esempi dell'imperfetto:
Esêmpi delimperfeto:
Exemplos do imperfeito:

    La nonna ci diceva sempre
    La nona tchi ditcheva sempre
    A vovó nos dizia sempre

    che, quando era giovane lei,
    que, quando era djióvane lei,
    que quando ela era jovem

    tutto era differente.
    tuto era diferente.
    tudo era diferente.

    Quando due giovani volevano uscire insieme,
    Quando due djióvani volêvano uchire insieme,
    Quando dois jovens quisessem sair juntos,

    dovevano prima fidanzarsi,
    dovêvano prima fidantzársi,
    deveriam antes noivar,

    e poi potevano incominciare
    e pói potêvano incomintchiare
    e depois poderiam começar

    a vedersi, ma mai da soli.
    a vedêrsi, ma mai da sóli.
    a se ver, mas nunca a sós.

Ci doveva sempre essere
Tchi doveva sempre éssere
Deveria sempre haver

qualcuno con loro. Secondo lei,
qualcuno con loro. Secondo lei,
alguém com eles. Segundo ela,

che credeva di avere sempre ragione,
que credeva di avere sempre radjione,
que acreditava ter sempre razão,

nei tempi moderni tutto stava andando
nei têmpi modérni tuto stava andando
nos tempos modernos tudo estava

per il peggio, e la miglior cosa
per il pédjio, e la milhor cosa
piorando, e a melhor coisa

era tornare ai costumi dei tempi passati.
era tornare ai costúmi dei têmpi passáti.
seria voltar aos costumes dos tempos passados.

Noi invece le dicevamo che pensava
Noi invetche le ditchevamo que pensava
Nós, ao contrário, dizíamos a ela que pensava

all'antica e che aveva torto,
alantica e que aveva torto,
como antigamente e que estava enganada,

che le cose oggi andano molto bene
que le cose ôdji ándano molto bene
que as coisas hoje vão muito bem

e che a noi piacciono proprio come sono.
e que a noi piátchono próprio come sono.
e que gostamos delas exatamente como são.

CONVERSAÇÃO: UMA REUNIÃO DE FAMÍLIA RECORDANDO O PASSADO

LUI:
Lui:
Ele:

  Oggi andremo a pranzo
  Ôdji andremo a prantzo
  Hoje iremos almoçar

  dai miei nonni.
  dai míei nôni.
  na casa dos meus avós.

  Ti parleranno molto di me.
  Ti parlerano molto di me.
  Vão lhe falar muito de mim.

  Ti racconteranno certamente
  Ti raconterano tchertamente
  Com certeza lhe contarão

  come ero e tutto ciò che facevo quando ero piccolo...
  come ero e tuto tchió que fatchevo quando ero pícolo...
  como eu era e tudo o que eu fazia quando era pequeno...

Dai nonni
Dai nôni
Na casa dos avós

LA NONNA:
La nona:
A avó:

278

Sapete, Riccardo sempre passava
Sapete, Ricardo sempre passava
Sabem, Ricardo sempre passava

tutte le estati da noi in Toscana.
tute le estáti da noi in Toscana.
todos os verões na nossa casa na Toscana.

Era un bellissimo ragazzino,
Era un belíssimo ragatzino,
Era um menino lindo,

ed era molto intelligente,
edera molto intelidjente,
e era muito inteligente,

ma ci dava tanti problemi...
ma tchi dava tánti problêmi...
mas nos dava tantos problemas...

tanti mal di testa...
tánti mal di testa...
tanta dor de cabeça...

IL NONNO:
Il nono:
O avô:

Usciva di casa senza dirci dove andava.
Uchiva di casa sentza dírtchi dove andava.
Saía sem nos dizer aonde ia.

Delle volte, faceva da solo
Dele volte, fatcheva da solo
Algumas vezes, fazia sozinho

delle pericolose camminate in montagna.
dele pericolose caminate in montanha.
perigosas caminhadas pela montanha.

LA NONNA:
   Non potevamo mai sapere
   Non potevamo mai sapere
   Não podíamos saber nunca

   dove era.
   dove era.
   onde estava.

   Eravamo sempre preoccupati.
   Eravamo sempre preocupáti.
   Estávamos sempre preocupados.

   Inventava dei giochi violenti.
   Inventava dei djióqui violênti.
   Inventava brincadeiras violentas.

   Aveva la sua banda di ragazzi,
   Aveva la sua banda di ragátzi,
   Tinha o seu grupo de meninos,

   e giocavano alla guerra...
   e djiocávano ala güerra...
   e brincavam de guerra...

   si gettavano pietre e petardi
   si djetávano pietre e petárdi
   jogavam pedras e bombinhas uns nos outros

   senza nessuna cautela.
   sentza nessuna cautela.
   sem nenhum cuidado.

   I vicini protestavano...
   I vitchíni protestávano...
   Os vizinhos reclamavam...

IL NONNO:
Al cinema, gli piacevano
Al tchínema, lhi piatchêvano
No cinema, gostavam

soprattutto i westerns.
sopratuto i uésterns.
principalmente dos filmes de faroeste.

Voleva andare in America per vedere i cow-boy
Voleva andare in América per vedere i cow-boy
Queria ir para os Estados Unidos para ver os caubóis

ed i pellerossa.
ed i pelerossa.
e os peles-vermelhas.

LA NONNA:
Ma con noi era sempre
Ma con noi era sempre
Mas conosco era sempre

tanto affettuoso.
tanto afetuoso.
muito carinhoso.

Quando è partito per gli Stati Uniti,
Quando é partito per lhi Státi Uníti,
Quando partiu para os Estados Unidos,

credevamo che andasse semplicemente
credevamo que andasse semplitchemente
acreditávamos que fosse simplesmente

a visitare il paese
a visitare il paese
visitar o país

e che tornasse poco dopo.
e que tornasse poco dopo.
e que voltaria logo.

Naturalmente, non sapevamo
Naturalmente, non sapevamo
Naturalmente, não sabíamos

che andava a sposarsi
que andava a sposársi
que ia se casar

con una americana.
con unamericana.
com uma americana.

IL NONNO:
Ma con una americana molto affascinante.
Ma con unamericana molto afachinante.
Mas com uma americana muito fascinante.

Da tanto tempo volevamo conoscerLa.
Da tanto tempo volevamo conôcherLa.
Há muito tempo queríamos conhecê-la.

LA NONNA:
Venite, ragazzi. Il pranzo è servito.
Venite, ragátzi. Il prantzo é servito.
Venham, meninos. O almoço está servido.

Abbiamo testina di agnello.
Abiámo testina di anhelo.
Temos cabeça de cordeiro.

A Riccardo piaceva tanto quando era piccolo.
A Ricardo piatcheva tanto quando era pícolo.
Ricardo gostava muito quando era pequeno.

LEI:
Lei:
Ela:
Ebbene, oggi ho saputo molte cose su di te,
Ebene, ôdji ó saputo molte cose su di te,
Bem, hoje eu soube muita coisa sobre você,

che ancora non sapevo.
que ancora non sapevo.
que ainda não sabia.

Ma dimmi, dovrei adesso imparare
Ma dími, dovrei adesso imparare
Mas diga-me, agora devo aprender

a cucinarti la testina di agnello?
a cutchinárti la testina di anhelo?
a cozinhar para você a cabeça de cordeiro?

TESTE O SEU ITALIANO

Traduza as frases seguintes para o italiano, usando o imperfeito. Marque 10 pontos para cada resposta correta. Veja a solução no final.

1. Minha mãe costumava dizer...

2. Quando eu estava em Florença...

3. Tudo era diferente então.

4. Quando eu era jovem...

5. Nós dizíamos a ela que estava enganada.

6. Ele era muito inteligente.

7. Nós estávamos sempre preocupados.

8. Nunca sabíamos onde ele estava.

9. Ele gostava de ir ao cinema.

10. Ele nunca fazia nada.

_____

Resultado: _____ %

Respostas: 1. Mia madre diceva sempre... 2. Quando ero a Firenze... 3. Tutto era differente allora. 4. Quando ero giovane... 5. Le dicevamo che aveva torto. 6. Era molto intelligente. 7. Eravamo sempre preoccupati. 8. Non sapevamo mai dove era. 9. Gli piaceva andare al cinema. 10. Non stava mai a far niente.

passo 23 USO DO *PASSATO REMOTO*

Il passato remoto, come indica il suo nome,
Il passato remoto, come índica il suo nome,
O passato remoto, como indica o seu nome,

> **Il passato remoto**
> *Esse tempo verbal também corresponde ao pretérito perfeito, e é um tempo simples, como em português. O passato remoto é mais usado na linguagem escrita. Na Itália, o uso de um ou outro tipo de passado varia conforme a região: no Sul prevalece o passato remoto, no Norte predomina o uso do passato prossimo.*

si usa per esprimere un'azione
si usa per esprímere unatzione
se usa para exprimir uma ação

che avvenne tempo fa e che si considera conclusa.
que avene tempo fa e que si consídera conclusa.
que aconteceu há tempo e que se considera concluída.

Dante Alighieri nacque a Firenze
Dante Aliguiêri naqüe a Firentze
Dante Alighieri nasceu em Florença

nel milleduecentosessantacinque,
nel mileduetchento sessantatchinqüe,
em 1265,

e morì a Ravenna
e mori a Ravena
e morreu em Ravena

nel milletrecentoventuno.
nel miletretchento ventuno.
em 1321.

Visse soltanto cinquantasei anni,
Visse soltanto tchinquantassei áni,
Viveu apenas 56 anos,

ma lasciò un capolavoro eterno.
ma lachió un capolavoro eterno.
mas deixou uma obra-prima eterna.

Il passato remoto si usa anche
Il passato remoto si usa anque
O passato remoto é usado também

Como se forma o passato remoto
O passato remoto é um tempo simples. Forma-se acrescentando ao radical do verbo as suas terminações específicas para cada conjugação. Observe:

	parlare	vendere	dormire
io	parl*ai*	vend*ei*/vend*etti*	dorm*ii*
tu	parl*asti*	vend*esti*	dorm*isti*
lui	parl*ò*	vend*è*/vend*ette*	dorm*ì*
noi	parl*ammo*	vend*emmo*	dorm*immo*
voi	parl*aste*	vend*este*	dorm*iste*
loro	parl*arono*	vend*erono*/vend*ettero*	dorm*irono*

No passato remoto, a maioria dos verbos irregulares só apresenta irregularidade em três pessoas: na primeira e terceira do singular (io e Lei, lui, lei) e na terceira pessoa do plural (loro). Nas outras pessoas, todos os verbos seguem os modelos dados acima. O radical irregular dessas três pessoas é sempre o mesmo, e a terminação é -i para a primeira do singular, -e para a terceira do singular e -ero para a terceira do plural. Aqui estão estas três pessoas para alguns verbos irregulares no passato remoto:

infinitivo	*passato remoto*
prendere	presi, prese, presero
chiudere	chiusi, chiuse, chiusero
avere	ebbi, ebbe, ebbero
chiedere	chiesi, chiese, chiesero
conoscere	conobbi, conobbe, conobbero
venire	venni, venne, vennero
vedere	vidi, vide, videro
sapere	seppi, seppe, seppero
volere	volli, volle, vollero
perdere	persi, perse, persero *ou*
	perdetti, perdette, perdettero
piacere	piacqui, piacque, piacquero
nascere	nacqui, nacque, nacquero
mettere	misi, mise, misero
correre	corsi, corse, corsero
leggere	lessi, lesse, lessero
scrivere	scrissi, scrisse, scrissero
vivere	vissi, visse, vissero
rimanere	rimasi, rimase, rimasero
cadere	caddi, cadde, caddero
tenere	tenni, tenne, tennero

A 3.ª pessoa do plural é proparoxítona.
Alguns outros verbos são totalmente irregulares no passato remoto:

essere	fui, fosti, fu, fummo, foste, furono
fare	feci, facesti, fece, facemmo, faceste, fecero
dare	diedi (detti), desti, diede (dette), demmo, deste, diedero (dettero)
stare	stetti, stesti, stette, stemmo, steste, stettero
dire	dissi, dicesti, disse, dicemmo, diceste, dissero
bere	bevvi, bevesti, bevve, bevemmo, beveste, bevvero

per descrivere un'azione istantanea che avvenne
per descrívere unatzione istantánea que avene
para descrever uma ação instantânea que aconteceu

mentre un'altra azione stava succedendo.
mentre unaltra atzione stava sutchedendo.
enquanto uma outra ação estava ocorrendo.

Stavo dormendo profondamente,
Stavo dormendo profondamente,
Eu estava dormindo profundamente,

quando qualcuno suonò alla porta.
quando qualcuno suonó ala porta.
quando alguém tocou a campainha.

Mi alzai di malavoglia
Mi altzai di malavolha
Levantei-me de má vontade

e andai ad aprire.
e andai adaprire.
e fui abrir.

Ma mentre andavo verso la porta,
Ma mentre andavo verso la porta,
Mas, enquanto eu ia na direção da porta,

squillò il telefono.
sqüiló il teléfono.
tocou o telefone.

Lasciai squillare il telefono
Lachiai sqüilare il teléfono
Deixei o telefone tocar

e continuai verso la porta.
e continuai verso la porta.
e continuei em direção à porta.

Quando finalmente l'aprii,
Quando finalmente laprii,
Quando finalmente a abri,

non c'era più nessuno.
non tchera piu nessuno.
não havia mais ninguém.

Poi corsi al telefono,
Pói córsi al teléfono,
Depois corri para o telefone,

ma quando staccai il ricevitore,
ma quando stacai il ritchevitore,
mas, quando levantei o fone,

non parlava nessuno.
non parlava nessuno.
não havia ninguém na linha.

Ritornai a letto,
Ritornai a leto,
Voltei para a cama,

ma a quel punto ero così nervoso
ma a qüel punto ero cosi nervoso
mas àquela altura eu estava tão nervoso

che non potetti più dormire.
que non potéti piu dormire.
que não pude mais dormir.

Per raccontare fatti storici,
Per racontare fáti stóritchi,
Para contar fatos históricos,

si usa il passato remoto
si usa il passato remoto
usa-se o passato remoto

insieme con l'imperfetto.
insieme con limperfeto.
juntamente com o imperfeito.

Secondo la leggenda,
Secondo la ledjenda,
Segundo a lenda,

i fondatori di Roma furono
i fondatôri di Roma fúrono
os fundadores de Roma foram

i gemelli Romolo e Remo.
i djeméli Rômolo e Remo.
os gêmeos Rômulo e Remo.

Quando erano bambini,
Quando érano bambíni,
Quando eram crianças,

furono abbandonati in una foresta.
fúrono abandonáti in una foresta.
foram abandonados numa floresta.

Una lupa li trovò e se ne prese cura.
Una lupa li trovó e se ne prese cura.
Uma loba os encontrou e cuidou deles.

Da grande, Romolo decise
Da grande, Rômolo detchise
Quando adulto, Rômulo decidiu

di fondare una città.
di fondare una tchitá.
fundar uma cidade.

Così marcò i limiti del territorio che gli piaceva,
Cosi marcó i límiti del território que lhi piatcheva,
Assim, marcou os limites do território que lhe agradava,

e disse al fratello
e disse al fratelo
e disse ao irmão

di non attraversare la linea.
di non atraversare la línea.
que não atravessasse a linha.

Ma Remo non lo prese sul serio
Ma Remo non lo prese sul sério
Mas Remo não o levou a sério

e attraversò la linea.
e atraversó la línea.
e atravessou a linha.

Allora, Romolo lo uccise.
Alora, Rômolo lo utchise.
Então, Rômulo o matou.

Però, dopo sentì del rimorso
Peró, dopo senti del rimorso
Porém, sentiu remorso

e mise alla nuova città il nome del fratello –
e mise ala nuova tchitá il nome del fratelo –
e pôs na nova cidade o nome do irmão –

la chiamò Roma.
la quiamó Roma.
chamou-a de Roma.

Spesso il passato remoto si usa
Spesso il passato remoto si usa
Freqüentemente, o passato remoto é usado

con il trapassato prossimo.
con il trapassato próssimo.
com o trapassato prossimo.

Il trapassato prossimo si usa
Il trapassato próssimo si usa
O trapassato prossimo é usado

per descrivere un'azione passata
per descrívere unatzione passata
para descrever uma ação passada

che avvenne prima di un'altra azione
que avene prima di unaltra atzione
que aconteceu antes de uma outra ação

anche nel passato.
anque nel passato.
também no passado.

> **Il trapassato prossimo**
> *Este tempo verbal corresponde ao mais-que-perfeito do português. É usado para exprimir uma ação passada antes de um tempo passado a que nos estamos referindo. É formado pelo imperfeito de* essere *ou* avere *e mais o particípio passado do verbo principal:*
>
> avevo mangiato – *eu tinha comido (eu comera)*
> ero arrivato – *eu tinha chegado (eu chegara)*
>
> *Lembre-se de que, nos tempos compostos dos verbos conjugados com o auxiliar* essere, *o particípio passado concorda em gênero e número com o sujeito.*

Quando arrivai a casa tua ieri sera,
Quando arrivai a casa tua iéri sera,
Quando cheguei à sua casa ontem à noite,

mi dissero che eri uscita con qualcun altro.
mi díssero que éri uchita con qualcun altro.
disseram-me que você tinha saído (saíra) com outra pessoa.

Quando arrivammo alla stazione,
Quando arrivamo ala statzione,
Quando chegamos à estação,

il treno era già partito.
il treno era djiá partito.
o trem já havia partido (partira).

Avevo appena finito di scriverle una lettera,
Avevo apena finito di scríverle una létera,
Eu tinha acabado (acabara) de escrever uma carta para ela,

quando mi telefonò.
quando mi telefonó.
quando ela me telefonou.

CONVERSAÇÃO: RELATANDO UM ACONTECIMENTO

Già avevamo finito la cena,
Djiá avevamo finito la tchena,
Já havíamos acabado o jantar,

ed eravamo nel salotto,
ederavamo nel saloto,
e estávamos na sala,

quando tutto ad un tratto
quando tuto adun trato
quando de repente

sentimmo un grido che veniva dal balcone.
sentimo un grido que veniva dal balcone.
ouvimos um grito que vinha da sacada.

> *Emprego dos tempos passados*
> *Esta narrativa ilustra a relação entre os vários tempos passados. O* imperfetto *estabelece o contexto dos acontecimentos de certo tempo do passado. O* trapassato prossimo *indica o que havia acontecido antes. Ações instantâneas que se completaram são expressas pelo* passato remoto.

Quando andammo là, trovammo la domestica tutta spaventata.
Quando andamo lá, trovamo la doméstica tuta spaventata.
Quando fomos até lá, encontramos a empregada muito assustada.

Ci disse che aveva visto
Tchi disse que aveva visto
Ela nos disse que havia visto

un'ombra dietro un albero.
unombra dietro unálbero.
uma sombra atrás de uma árvore.

Era ancora molto nervosa –
Era ancora molto nervosa –
Continuava muito nervosa –

aveva letto un articolo nel giornale
aveva leto unartícolo nel djiornale
havia lido um artigo no jornal

su un ladro che era solito entrare
su un ladro que era sólito entrare
sobre um ladrão que costumava entrar

nelle case di notte,
nele case di note,
nas casas à noite,

salendo sui balconi,
salendo sui balcôni,
subindo pelas sacadas,

e credeva che fosse qualcuno
e credeva que fosse qualcuno
e achava que era alguém

che voleva entrare in casa.
que voleva entrare in casa.
que queria entrar na casa.

La poveretta aveva molta paura
La povereta aveva molta paúra
A pobrezinha estava com muito medo

e anche se l'assicuravamo
e anque se lassicurávamo
e, embora lhe garantíssemos

che non c'era nessuno lì,
que non tchera nessuno li,
que ali não havia ninguém,

continuava a tremare come una foglia.
continuava a tremare come una folha.
continuava a tremer como vara verde.

Aiuto!
Aqui estão algumas palavras que podem ser úteis em casos de emergência:

aiuto! = *socorro!*
fuoco! = *fogo!*
attenzione! = *atenção!*
presto! = *rápido!*
al ladro! = *pega ladrão!*
fermo! = *pare!*
polizia! = *polícia!*

TESTE SEU ITALIANO

Vertas as frases abaixo para o italiano. Marque 10 pontos para cada resposta correta. Veja a solução no final.

1. Quando nasceu Dante?

2. Quando ele morreu?

3. Eu estava dormindo quanto tocou o telefone.

4. Quando abri a porta, não havia ninguém.

5. Quanto tempo Dante viveu?

6. Quando crianças, foram abandonados numa floresta.

7. Rômulo chamou a nova cidade de Roma.

8. Quando chegamos ao aeroporto, o avião já havia partido.

9. Tínhamos acabado de jantar quando ouvimos um grito.

10. A empregada havia lido um artigo no jornal.

Resultado: _____ %

Risposte: 1. Quando nacque Dante? 2. Quando morì? 3. Dormivo quando squillò il telefono. 4. Quando aprii la porta, non c'era nessuno. 5. Quanto tempo visse Dante? 6. Quando erano bambini, furono abbandonati in una foresta. 7. Romolo chiamò la nuova città Roma. 8. Quando arrivammo all'aeroporto, l'aeroplano era già partito. 9. Avevamo appena finito di cenare, quando sentimmo un grido. 10. La domestica aveva letto un articolo nel giornale.

passo 24 USO DO *CONGIUNTIVO*

Il congiuntivo è facile
Il condjiuntivo é fátchile
O congiuntivo é fácil

perchè voi sapete già come si forma.
perque voi sapete djiá come si forma.
porque vocês já sabem como se forma.

Il verbo, al singolare,
Il verbo, al singolare,
O verbo, no singular,

ha la stessa forma
a la stessa forma
tem a mesma forma

che si usa per dare ordini.
que si usa per dare órdini.
que se usa para dar ordens.

> Come: *Entri! Venga qui! Si sieda!*
> **Come: Entri! Venga qüi! Si sieda!**
> *Como: "Entre!" "Venha aqui!" "Sente-se!"*
>
> *Prenda una sigaretta! Mi dica!*
> **Prenda una sigareta! Mi dica!**
> *"Pegue um cigarro!" "Diga-me!"*

Il congiuntivo si usa
Il condjiuntivo si usa
O congiuntivo se usa

quando si vuole o si desidera
quando si vuole o si desídera
quando se quer ou se deseja

che un'altra persona
que unaltra persona
que uma outra pessoa

faccia qualche cosa.
fátchia qualque cosa.
faça alguma coisa.

Il congiuntivo presente è preceduto
Il condjiuntivo presente é pretcheduto
O congiuntivo presente é precedido

dalla parola *che*.
dala parola que.
da palavra "que".

O modo congiuntivo

O congiuntivo corresponde ao subjuntivo em português, e é um modo com diversos tempos. Você já teve contato com o congiuntivo, quando aprendeu algumas formas do imperativo de cortesia: parli, venga, dica. *O uso do congiuntivo também apresenta semelhanças com o uso do subjuntivo da língua portuguesa: ele é usado com expressões que indicam vontade, desejo, dúvida, incerteza, estado de espírito, etc.*

Non voglio che lui venga.
Non volho que lui venga.
Não quero que ele venha.

Vuole che noi ritorniamo domani.
Vuole que noi ritorniamo dománi.
Ele quer que nós retornemos amanhã.

Si noti l'uso del congiuntivo
Si nóti luso del condjiuntivo
Note o uso do congiuntivo

301

in frasi che esprimono emozioni
in frási que esprímono emotziôni
em frases que exprimem emoções

o sentimenti, dopo la parola che.
o sentimênti, dopo la parola que.
ou sentimentos, depois da palavra "que".

Congiuntivo presente
Abaixo temos exemplos de verbos das três conjugações no congiuntivo presente:

1ª) parlare	2ª) scrivere
(che) io parli	(che) io scriva
(che) tu parli	(che) tu scriva
(che) lui parli	(che) lui scriva
(che) noi parliamo	(che) noi scriviamo
(che) voi parliate	(che) voi scriviate
(che) loro parlino	(che) loro scrivano
3ª) partire	3ª) finire
(che) io parta	(che) io finisca
(che) tu parta	(che) tu finisca
(che) lui parta	(che) lui finisca
(che) noi partiamo	(che) noi finiamo
(che) voi partiate	(che) voi finiate
(che) loro partino	(che) loro finiscano

Os pronomes de 1ª, 2ª e 3ª pessoas do singular (io, tu, lui, lei, etc.) no congiuntivo presente são usados com mais freqüência, para evitar confusão, pois as formas são idênticas.
Os verbos irregulares no congiuntivo também têm as três primeiras pessoas iguais e provenientes da primeira pessoa do presente do indicativo:

io parlo – che io parli *(a terminação -o é substituída por -i)*
io scrivo – che io scriva
io parto – che io parta
io finisco – che io finisca
io faccio – che io faccia
io vengo – che io venga

io leggo – che io legga
io dico – che io dica
io esco – che io esca

Alguns verbos têm o congiuntivo presente *completamente irregular:*

avere	essere	stare
(che) io abbia	(che) io sia	(che) io stia
(che) tu abbia	(che) tu sia	(che) tu stia
(che) lui abbia	(che) lui sia	(che) lui stia
(che) noi abbiamo	(che) noi siamo	(che) noi stiamo
(che) voi abbiate	(che) voi siate	(che) voi stiate
(che) loro abbiano	(che) loro siano	(che) loro stiano

sapere	dovere
(che) io sappia	(che) io debba (*ou* deva)
(che) tu sappia	(che) tu debba (*ou* deva)
(che) lui sappia	(che) lui debba (*ou* deva)
(che) noi sappiamo	(che) noi dobbiamo
(che) voi sappiate	(che) voi dobbiate
(che) loro sappiano	(che) loro debbano (*ou* devano)

dare
(che) io dia
(che) tu dia
(che) lui dia
(che) noi diamo
(che) voi diate
(che) loro diano

– Sono contento che Lei sia qui,
Sono contento que Lei sia qüi,
Fico feliz que o senhor esteja aqui,

ma mi dispiace che Sua moglie sia malata.
ma mi dispiatche que Sua molhe sia malata.
mas sinto muito que sua esposa esteja doente.

– Sì, è un peccato che non abbia
Si, é un pecato que nonábia
Sim, é uma pena que ela não tenha

> *Note a diferença*
> Mi dispiace che lei non possa venire.
> *Eu sinto muito que ela não possa vir.*
>
> Mi dispiace che lei non abbia potuto venire.
> *Eu sinto muito que ela não tenha podido vir.*
>
> Na segunda frase, aparece o congiuntivo passato (abbia potuto). Ele é um tempo composto, formado pelo congiuntivo presente dos auxiliares essere ou avere e o particípio passado do verbo principal.

potuto venire, ma il dottore
potuto venire, ma il dotore
podido vir, mas o doutor

non vuole che lei esca di casa.
non vuole que lei esca di casa.
não deseja que ela saia de casa.

Il congiuntivo si usa
Il condjiuntivo si usa
O congiuntivo se usa

in espressioni impersonali
in espressiôni impersonáli
em expressões impessoais

e con certe congiunzioni.
e con tchérte condjiundziôni.
e com certas conjunções.

> *O* congiuntivo *com expressões impessoais*
> Algumas expressões impessoais requerem o uso do congiuntivo:
> È necessario che... = *É necessário que...*

È importante che... = *É importante que...*
È possibile che... = *É possível que...*
Bisogna che... = *É preciso que...*
Non è certo che... = *Não é certo que...*

Bisogna che gli parli.
Bisonha que lhi párli.
É preciso que eu fale com ele.

Bisogna che voi visitiate la Calabria.
Bisonha que voi visitiate la Calábria.
É preciso que vocês visitem a Calábria.

Peccato che io non possa andarci.
Pecato que io non possa andártchi.
É uma pena que eu não possa ir (lá).

Bisogna che Marta parta adesso.
Bisonha que Marta parta adesso.
É preciso que Marta parta agora.

– È necessario che ci chiamino presto,
É netchessário que tchi quiámino presto,
É preciso que nos chamem cedo,

così avremo tempo
cosi avremo tempo
assim teremos tempo

per fare le valigie.
per fare le valídjie.
para fazer as malas.

È importante che arriviamo
É importante que arriviamo
É importante que cheguemos

all'aeroporto
alaeroporto
ao aeroporto

una mezz'ora prima della partenza.
una medzora prima dela partentza.
meia hora antes da partida.

Prima che possiamo salire sull'aereo
Prima que possiamo salire sulaéreo
Antes que possamos subir no avião

bisogna che pesino i bagagli,
bisonha que pésino i bagálhi,
é preciso que pesem as malas,

e che noi passiamo per il controllo di sicurezza.
e que noi passiamo per il controlo di sicuretza.
e que nós passemos pelo controle de segurança.

– Ma perchè tanta fretta?
Ma perquê tanta freta?
Mas por que tanta pressa?

Anche se arriviamo tardi,
Anque se arriviamo tárdi,
Mesmo que cheguemos tarde,

è possibile che ci sia
é possíbile que tchi sia
é possível que haja

un altro volo più tardi.
unaltro volo piu tárdi.
outro vôo mais tarde.

– Crede? Può darsi
Crede? Puó dársi
O senhor acha? Pode ser

che non ce ne siano più.
que non tche ne síano piu.
que não haja mais.

CONVERSAÇÃO: CONFLITO DE GERAÇÕES

IL PADRE:
Il padre:
O pai:
  Mi dispiace che Giancarlo
  Mi dispiatche que Djiancarlo
  Não me agrada que João Carlos

  riceva dei voti tanto bassi
  ritcheva dei vóti tanto bássi
  tenha notas tão baixas

  a scuola. Ho paura
  a scuola. O paúra
  na escola. Tenho medo

  che abbia difficoltà
  que ábia dificoltá
  que tenha dificuldades

  quando verranno gli esami.
  quando verrano lhi esámi.
  quando vierem os exames finais.

  È importante che studi di più
  É importante que stúdi di piu
  É importante que ele estude mais

  e che non passi tutto il tempo
  e que non pássi tuto il tempo
  e que não passe o tempo todo

al cinema e al teatro.
　　　al tchínema e al teatro.
　　　no cinema e no teatro.

LA MADRE:
La madre:
A mãe:
　　　Ma perchè ti preoccupi tanto?
　　　Ma perquê ti preócupi tanto?
　　　Mas por que você se preocupa tanto?

　　　Dubiti che lui riesca
　　　Dúbiti que lui riesca
　　　Você duvida de que ele consiga

　　　a superare tutti gli esami?
　　　a superare túti lhi esámi?
　　　passar em todos os exames?

IL PADRE:
　　　Non cercare di difenderlo.
　　　Non tchercare di difênderlo.
　　　Não tente defendê-lo.

　　　Quando ritorna a casa
　　　Quando ritorna a casa
　　　Quando ele voltar para casa

　　　bisogna che tu gli dica
　　　bisonha que tu lhi dica
　　　é preciso que você diga a ele

　　　che voglio vederlo affinchè
　　　que volho vederlo afinquê
　　　que quero vê-lo para que

　　　mi spieghi la sua ultima pagella.
　　　mi spiégui la sua última padjela.
　　　me explique o seu último boletim.

Non posso permettere che lui
Non posso permétere que lui
Não posso permitir que ele

continui ad essere tanto svogliato
contínui adéssere tanto svolhato
continue a ser tão desinteressado

nei suoi studi, e nemmeno
nei suoi stúdi, e nemeno
nos seus estudos, e nem mesmo

che sia tanto negligente.
que sia tanto neglidjente.
que seja tão negligente.

LA MADRE:
  Ascolta, Giancarlo –
  Ascolta, Djiancarlo –
  Escute, João Carlos –

  Tuo padre è molto adirato
  Tuo padre é molto adirato
  Seu pai está muito bravo

  perchè tu non hai ricevuto
  perquê tu nonai ritchevuto
  porque você não recebeu

  voti migliori.
  vóti milhóri.
  notas melhores.

  È necessario che tu vada a vederlo.
  É netchessário que tu vada a vederlo.
  É preciso que você vá vê-lo.

IL FIGLIO:
Il filho:
O filho:

Perchè? Quando mi vedrà,
Perquê? Quando mi vedrá,
Por quê? Quando ele me vir,

mi parlerà senza dubbio
mi parlerá sentza dúbio
falará, sem dúvida,

di ciò che lui vuole che io faccia,
di tchió que lui vuole que io fátchia,
daquilo que ele quer que eu faça,

della carriera che lui vuole
dela carriera que lui vuole
da carreira que ele quer

che io segua,
que io ségua,
que eu siga,

della vita che lui vuole che io segua.
dela vita que lui vuole que io ségua.
da vida que ele quer que eu leve.

La mia ambizione è di arrivare
La mia ambitzione é di arrivare
A minha ambição é chegar

ad essere regista.
adéssere redjista.
a ser diretor de cinema.

Nella vita voglio fare
Nela vita volho fare
Na vida quero fazer

ciò che voglio io.
tchió que volho io.
aquilo que eu quero.

LA MADRE:
Oh! Dio mio!
O! Dio mio!
Oh! Meus Deus!

Non parlare così, figlio mio.
Non parlare cosi, filho mio.
Não fale assim, meu filho.

Sai molto bene che tuo padre
Sai molto bene que tuo padre
Você sabe muito bem que o seu pai

non vuole che il bene tuo
non vuole que il bene tuo
deseja apenas o seu bem

> **Non... che**
> *Além da palavra* soltanto, *podemos usar* non *antes do verbo e* che *depois do verbo, como uma outra forma de dizer "somente", "apenas":*
>
> Lui parla soltanto di calcio. = *Ele só fala de futebol.*
> Lui non parla che di calcio. = *Ele só fala de futebol.*

e quello di Giacomo.
e qüelo di Djiácomo.
e o de Tiago.

Vuole che riceviate il vostri diploma
Vuole que ritcheviate il vóstri diploma
Quer que vocês recebam o diploma

di liceo e che continuiate
di litcheo e que continuiate
do colegial e que continuem

all'Università.
aluniversitá.
até a Universidade.

311

Tuo padre vuole sempre
Tuo padre vuole sempre
O seu pai ainda quer

che Giacomo diventi
que Djiácomo divênti
que Tiago se torne

dottore e che tu sia avvocato come lui.
dotore e que tu sia avocato come lui.
médico e que você seja advogado como ele.

IL FIGLIO:
Lo so bene.
Lo sô bene.
Eu sei disso muito bem.

Però fra ciò che voglio diventare
Peró fra tchió que volho diventare
Porém, entre aquilo que eu quero ser

e quello che lui vuole che io diventi,
e qüelo que lui vuole que io divênti,
e aquilo que ele quer que eu seja,

c'è un mare di differenza.
tché un mare di diferentza.
há um abismo de diferença.

Che mi lasci in pace!
Que miláchi in patche!
Que ele me deixe em paz!

LA MADRE:
Cielo! Che parole!
Tchiélo! Que parole!
Céus! Que palavras!

Com'era differente la vita
Comera diferente la vita
Como a vida era diferente

quando io ero giovane!
quando io ero djióvane!
quando eu era jovem!

Non si parlava mai così
Non si parlava mai cosi
Nunca se falava assim

ai propri genitori.
ai própri djenitôri.
com os pais.

TESTE SEU ITALIANO

Complete os espaços com os verbos adequados no subjuntivo. Marque 10 pontos para cada resposta certa. Veja as soluções a seguir.

1. Espero que ele não me veja.
   Spero che lui non mi _____ .

2. Querem que nós cheguemos às oito.
   Vogliono che _____ alle otto.

3. Eu desejo que ele vá.
   Voglio che lui _____ .

4. Ele insiste em que eu jogue.
   Insiste che io _____ .

5. Ele deseja que eu fique.
   Vuole che io _____ .

6. Fico muito triste que a senhora não possa ir.
   Mi dispiace molto che Lei non _____ andare.

7. É preciso que você estude muito.
   È necessario che tu _____ molto.

8. Espero que ela venha amanhã.
   Spero que lei _____ domani.

9. É uma pena que esteja chovendo.
   Peccato che _____ piovendo!

10. O que você quer que eu lhe diga?
    Che cosa vuole che gli _____ ?

Respostas: 1. veda 2. arriviamo 3. vada 4. giochi 5. rimanga 6. possa 7. studi 8. venga 9. stia 10. dica

Resultado: _____ %

passo 25 CONDIÇÕES E SUPOSIÇÕES

Frasi come:
Frási come:
Frases como:

Se piove domani, non andremo alla spiaggia.
Se piove dománi, nonandremo ala spiádjia.
Se chover amanhã, não iremos à praia.

Se viene, gli darò il messaggio.
Se viene, lhi daró il messádjio.
Se ele vier amanhã, eu lhe darei o recado.

Sono delle condizioni semplici.
Sono dele conditziôni sêmplitchi.
São condições simples.

Qualche volta, la supposizione
Qualque volta, la supositzione
Algumas vezes, a suposição

è più evidente, come:
é piu evidente, come:
é mais evidente, como:

Se Lei fosse al posto mio
Se Lei fosse al posto mio
Se o senhor estivesse no meu lugar

che cosa farebbe?
que cosa farebe?
o que faria?

Se vivessi nella regione alpina,
Se vivêssi nela redjione alpina,
Se eu vivesse na região alpina,

farei dello sci.
farei delo chi.
praticaria esqui.

Per questo genere di supposizione,
Per qüesto djênere di supositzione,
Para este gênero de suposição,

bisogna usare l'imperfetto
bisonha usare limperfeto
é preciso usar o imperfeito

del congiuntivo dopo *se*
del condjiuntivo dopo se
do subjuntivo depois de se

Imperfetto del congiuntivo

No Passo 24, vimos o congiuntivo presente *e um exemplo do* congiuntivo passato. *Mas há outro tempo no modo* congiuntivo, *usado para expressar suposições: é o* imperfetto del congiuntivo, *que corresponde ao imperfeito do subjuntivo, em português.*

Se Lei fosse al mio posto = *Se o senhor estivesse no meu lugar*
Se lui fosse qui = *Se ele estivesse aqui*

Observe as terminações do imperfetto del congiuntivo *nos verbos das três conjugações:*

	1.ª) parlare	*2.ª)* scrivere	*3.ª)* finire
(se) io	parl*assi*	scriv*essi*	fin*issi*
(se) tu	parl*assi*	scriv*essi*	fin*issi*
(se) lui	parl*asse*	scriv*esse*	fin*isse*
(se) noi	parl*assimo*	scriv*essimo*	fin*issimo*
(se) voi	parl*aste*	scriv*este*	fin*iste*
(se) loro	parl*assero*	scriv*essero*	fin*issero*

Alguns verbos muito importantes são irregulares no imperfetto del congiuntivo:

fare	facessi, facessi, facesse, facessimo, faceste, facessero;
dire	dicessi, dicessi, dicesse, dicessimo, diceste, dicessero;
dare	dessi, dessi, desse, dessimo, deste, dessero;
essere	fossi, fossi, fosse, fossimo, foste, fossero;
bere	bevessi, bevessi, bevesse, bevessimo, beveste, bevessero.

e mettere l'altro verbo al condizionale.
e métere laltro verbo al conditzionale.
e colocar o outro verbo no condicional.

Si noti nel dialogo seguente:
Si nóti nel diálogo següente:
Note-se no diálogo seguinte:

– Se Lei fosse nel deserto della Libia
Se Lei fosse nel deserto dela Líbia
Se o senhor estivesse no deserto da Líbia

e vedesse un leone,
e vedesse un leone,
e visse um leão,

che cosa farebbe?
que cosa farebe?
o que faria?

– Ma non ci sono leoni in Libia.
Ma non tchi sono leôni in Líbia.
Mas não há leões na Líbia.

– Allora supponiamo che Lei fosse
Alora suponiamo que Lei fosse
Então suponhamos que o senhor estivesse

in Etiopia, dove ci sono leoni,
in Etiópia, dove tchi sono leôni,
na Etiópia, onde existem leões,

e ne incontrasse uno,
e ne incontrasse uno,
e encontrasse um,

che cosa farebbe?
que cosa farebe?
o que faria?

— Lo ucciderei col mio fucile.
Lo utchiderei col mio futchile.
Eu o mataria com a minha espingarda.

— E se Lei non avesse un fucile,
E se Lei nonavesse un futchile,
E se o senhor não tivesse espingarda,

come si difenderebbe?
come si difenderebe?
como se defenderia?

— Se non avessi un fucile, salirei su un albero.
Se nonavêssi un futchile, salirei su unálbero.
Se eu não tivesse espingarda, subiria numa árvore.

— E se non ci fossero alberi,
E se non tchi fôssero álberi,
E se não houvesse árvores,

come scapperebbe via?
come scaperebe via?
como o senhor fugiria?

— Se non ci fossero alberi,
Se non tchi fôssero álberi,
Se não houvesse árvores,

- mi metterei a correre.
  mi meterei a córrere.
  começaria a correr.

– Hmm... Credo che il leone
  Hmm... Credo que il leone
  Hmm... Acho que o leão

lo acchiapperebbe facilmente.
lo aquiaperebe fatchilmente.
o agarraria facilmente.

– Ma senta un pò,
  Ma senta un pó,
  Mas escute aqui,

Lei è amico mio o per caso amico del leone?
Lei é amico mio o per caso amico del leone?
O senhor é meu amigo ou por acaso é amigo do leão?

Oltre a queste supposizioni,
Oltre a qüeste supositziôni,
Além dessas suposições,

ce ne sono altre
tchene sono altre
há outras

che si referiscono a cose
que si referíscono a cose
que se referem a coisas

che non sono mai avvenute:
que non sono mai avenute:
que jamais aconteceram:

Se la Regina Isabella non avesse aiutato
Se la Redjina Isabela nonavesse aiutato
Se a rainha Isabel não tivesse ajudado

Cristoforo Colombo,
Cristóforo Colombo,
Cristóvão Colombo,

chi avrebbe scoperto il Nuovo Mondo?
qui avrebe scoperto il Nuovo Mondo?
quem teria descoberto o Novo Mundo?

Se Roma non fosse mai caduta,
Se Roma non fosse mai caduta,
Se Roma nunca tivesse caído,

parleremmo tutti latino adesso?
parleremo túti latino adesso?
todos nós falaríamos latim agora?

CONVERSAÇÃO: O QUE VOCÊ FARIA SE GANHASSE NA LOTERIA?

– Che cosa farebbe Lei
Que cosa farebe Lei
O que o senhor faria

se vincesse il gran premio alla lotteria?
se vintchesse il gran prêmio ala loteria?
se ganhasse o grande prêmio da loteria?

– Prima di tutto, sloggeremmo,
Prima di tuto, slodjeremo,
Primeiro, mudaríamos,

e andremmo ad abitare
e andremo adabitare
e iríamos morar

in una casa più grande.
in una casa piu grande.
numa casa maior.

Questo renderebbe contenta mia moglie.
Qüesto renderebe contenta mia molhe.
Isso deixaria minha mulher contente.

Secondo, comprerei una nuova automobile.
Secondo, comprerei una nuova automóbile.
Segundo, compraria um novo automóvel.

Questo mi renderebbe contento.
Qüesto mi renderebe contento.
Isso me deixaria contente.

Dopo, andremmo nelle Puglie,
Dopo, andremo nele Pulhe,
Depois, iríamos às Puglie,

e faremmo visita ai miei genitori.
e faremo visita ai míei djenitôri.
e faríamos uma visita aos meus pais.

Darei loro del macchinario moderno
Darei loro del maquinário moderno
Daria máquinas modernas

per il loro podere.
per il loro podere.
para a fazenda deles.

Così, non avrebbero più tanto da lavorare,
Cosi, nonavrébero piu tanto da lavorare,
Assim, não teriam mais que trabalhar tanto,

e la vita sarebbe più facile per loro.
e la vita sarebe piu fátchile per loro.
e a vida seria mais fácil para eles.

– E dopo, che farebbe?
E dopo, que farebe?
E depois, o que o senhor faria?

– Ritorneremmo qui a Milano.
Ritorneremo qüi a Milano.
Retornaríamos aqui para Milão.

– E continuerebbe a lavorare?
E continuerebe a lavorare?
E o senhor continuaria a trabalhar?

– Sicuro. Dovrei lavorare per forza.
Sicuro. Dovrei lavorare per fortza.
Com certeza. Deveria obrigatoriamente trabalhar.

Il denaro della lotteria
Il denaro dela loteria
O dinheiro da loteria

non durerebbe per sempre.
non durerebe per sempre.
não duraria para sempre.

– Però, sarebbe molto bello
Peró, sarebe molto belo
Mas seria muito bom

fino a quando durasse, no?
fino a quando durasse, no?
enquanto durasse, não?

– Certo, usciamo subito
Tcherto, uchiamo súbito
Certo, vamos sair já

a comprare un biglietto.
a comprare un bilheto.
para comprar um bilhete.

(La domenica seguente)
(La domênica següente)
(No domingo seguinte)

– Che delusione! Non ho vinto niente.
Que delusione! Nonó vinto niente.
Que desilusão! Não ganhei nada.

– Meno male! Se lei avesse vinto
Meno male! Se lei avesse vinto
Menos mal! Se o senhor tivesse ganho

qualcosa, avrebbe subito
qualcosa, avrebe súbito
alguma coisa, logo teria

speso tutto.
speso tuto.
gasto tudo.

– Forse. Ma almeno
Forse. Ma almeno
Talvez. Mas pelo menos

avrei avuto il gusto
avrei avuto il gusto
teria tido o gosto

di averlo speso.
di averlo speso.
de gastar.

È un piacere

Aqui estão alguns exemplos do infinito composto *ou* infinito passato, *de uso bem menos rigoroso em português.*

È un piacere averLa conosciuto.
É um prazer tê-la conhecido.
Dopo essere arrivata a casa, Anna ha telefonato a Enzo.
Depois de ter chegado a casa, Anna telefonou a Enzo.

As formas avere conosciuto *e* essere arrivata *são exemplos do infinitivo composto. É um tempo formado pelos auxiliares* essere *ou* avere *no infinitivo, e mais o particípio passado do verbo principal. Note que no* infinito composto *o auxiliar* avere *perde o -e final, o que não ocorre com* essere. *E, quando usamos o auxiliar* essere, *o particípio passado concorda em número e gênero com o sujeito.*

TESTE O SEU ITALIANO

Complete os espaços com os verbos apropriados no condicional ou no imperfeito do subjuntivo. Marque 10 pontos para cada resposta correta. Veja as soluções a seguir.

1. Se eu tivesse dinheiro, compraria um carro novo.
   Se avessi il denaro, _____ una nuova automobile.

2. Se você me dissesse, eu não o diria a ninguém.
   Se me lo dicessi, non glielo _____ a nessuno.

3. O que o senhor faria se perdesse o trem?
   Che cosa _____ se perdesse il treno?

4. O que o senhor compraria se ganhasse na loteria?
   Che cosa comprerebbe se _____ alla lotteria?

5. Se pudesse fazê-lo, o faria.
   Se _____ farlo, lo farei.

6. Ele viria comigo se o senhor o permitisse.
   Lui verrebbe con me se Lei glielo _____ .

7. Se você o desejasse, poderia deixar de fumar.
   Se lo volessi, _____ smettere di fumare.

8. Se não houvesse a polícia, haveria um aumento da criminalidade?
   Se non ci _____ la polizia, ci sarebbe un aumento della criminalità?

9. Se eu tivesse tempo, iria à Itália.
   Se avessi tempo, _____ in Italia.

10. Se Aníbal tivesse conquistado Roma, a história teria sido diferente?
    Se Annibale avesse conquistato Roma, _____ _____ differente la storia?

Respostas: 1. comprerei 2. direi 3. farebbe 4. vincesse 5. potessi 6. permetteresse 7. potresti 8. fosse 9. andrei 10. sarebbe stata.

Resultado: _____ %

passo 26 COMO LER O ITALIANO

Ecco alcuni consigli per facilitare
Eis alguns exemplos para facilitar

le vostre letture in italiano.
as suas leituras em italiano.

Nella corrispondenza commerciale troverete spesso
Nas correspondências comerciais vocês observarão com freqüência

che il condizionale e il congiuntivo
que o condicional e o subjuntivo

si usano molto. Per esempio:
são muito usados. Por exemplo:

    Gentilissimi signori:
    Prezados senhores:

    Vi saremmo molto grati se ci potreste mandare
    Seremos muito gratos aos senhores se puderem enviar-nos

    il Vostro ultimo catalogo e il Vostro elenco dei prezzi.
    o seu último catálogo e a sua lista de preços.

    Apprezzeremmo molto se ci rispondeste
    Gostaríamos muito se nos respondessem

    al più presto possibile.
    o mais depressa possível.

Con distinti saluti, ...
Atenciosamente, ...

> ### *Para terminar uma carta*
> Con distinti saluti *("atenciosamente") e* con distinti ossequi *("respeitosamente") são duas expressões que podem ser usadas para se terminar uma carta. A segunda é bem mais formal do que a primeira. Uma carta pessoal pode terminar com um* affettuosi saluti *("saudações afetuosas") ou ainda com* baci e abbracci *("beijos e abraços").*

Nei giornali vedrete
Nos jornais, vocês verão

che si usa essere molto breve
que geralmente se é muito breve

nei titoli degli articoli:
nos títulos dos artigos:

"Geloso ammazza la moglie –
"Ciumento mata a mulher –

altro delitto d'onore"
outro crime de honra"

"Impiegati postali
"Funcionários do correio

fanno sciopero"
fazem greve "

"Milan batte Bologna –
"Milão derrota Bolonha –

vince lo scudetto"
vence o campeonato"

Manchetes e notícias
Manchetes de jornal e chamadas de rádio e televisão freqüentemente suprimem artigos e pronomes, para poupar espaço e tempo. Adjetivos são substantivados e usados como sujeito: Geloso, em Geloso amazza la moglie, na verdade quer dizer un uomo geloso ("um homem ciumento").
Se fosse gelosa, seria "uma mulher ciumenta".
Muitas palavras novas podem ser aprendidas pela leitura de jornais e revistas italianas. A imprensa italiana é uma grande fonte de neologismos.

La letteratura italiana
A literatura italiana

è bellissima ed è anche molto ricca.
é belíssima e também muito rica.

L'opera immortale di Dante –
A obra imortal de Dante –

La Divina Commedia –
A Divina Comédia –

è conosciuta in tutto il mondo.
é conhecida em todo o mundo.

Fin dai primi versi
Desde os primeiros versos

sono evidenti l'armonia
são evidentes a harmonia

e la bellezza della sua poesia.
e a beleza de sua poesia.

Ecco il principio della *Commedia*:
Aqui está o início da Comédia:

   Nel mezzo del cammin di nostra vita
   No meio do caminho de nossa vida

mi ritrovai per una selva oscura,
encontrei-me numa selva escura,

chè la diritta via era smarrita.
porque o caminho reto estava perdido.

Ah quanto a dir qual era è cosa dura,
Ah como é difícil dizer o que era

> **A queda do -e**
> *No italiano literário, especialmente no poético, o -e final dos infinitivos dos verbos e dos adjetivos é freqüentemente suprimido.*

esta selva selvaggia e aspra e forte,
esta selva selvagem e áspera e forte,

che nel pensier rinova la paura!
que no pensamento renova o medo!

Tant'è amara che poco è più morte.
É tão amarga que a morte é um pouco mais.

Nelle vostre letture italiane,
Nas suas leituras italianas,

troverete degli interessanti
encontrarão interessantes

e divertenti esempi di prosa,
e divertidos exemplos de prosa,

a cominciare dai racconti del Boccaccio, fino
a começar pelos contos de Boccaccio, até

agli autori dei tempi moderni.
os autores dos tempos modernos.

L'opera italiana –
A ópera italiana –

letteratura musicale –
literatura musical –

L'italiano è la lingua internazionale della musica
É justo que o italiano, sendo uma língua tão musical, seja também a língua da música. Nas indicações musicais das partituras de música, são usadas palavras do italiano falado: piano, pianissimo, adagio, poco a poco, allegretto, allegro, forte, fortissimo, crescendo. Scherzo, por exemplo, é um tipo de composição alegre, que poderia significar "divertimento". Alguns termos musicais têm outros significados em italiano: opera, além do gênero musical, significa também "obra", no sentido de composição artística em geral.

sarà per voi ancora più interessante
será para vocês ainda mais interessante

perchè potrete riconoscere le parole,
porque poderão reconhecer as palavras,

come queste del *Rigoletto* di Giuseppe Verdi:
como estas do Rigoletto, *de Giuseppe Verdi:*

La donna è mobile
A mulher é inconstante

qual piuma al vento,
como pluma ao vento,

muta d'accento
varia palavras

e di pensiero.
e pensamento.

Sempre un amabile
Sempre um amável e

leggiadro viso,
gracioso rosto,

in pianto o in riso,
chorando ou rindo,

è menzognero.
é mentiroso.

Tutto quello che leggete in italiano,
Tudo o que vocês lerem em italiano,

che siano delle commedie, dei romanzi,
sejam comédias, romances,

dei libri di storia o d'arte,
livros de história ou de arte,

aumenterà le vostre conoscenze dell'italiano
aumentará seus conhecimentos do italiano

e sarà una fonte inesauribile di distrazione.
e será uma fonte inesgotável de distração.

Però la cosa più importante è parlare
Porém, o mais importante é falar

e ascoltare gli altri parlare,
e ouvir os outros falar,

perchè, per imparare bene una lingua,
porque, para aprender bem uma língua,

bisogna praticarla in tutte le occasioni.
é preciso praticá-la em todas as ocasiões.

VOCÊ SABE MAIS ITALIANO DO QUE IMAGINA

Agora você está familiarizado com os elementos essenciais para se falar italiano. Sem dúvida, ao ler livros, revistas e jornais em italiano, você encontrará muitas palavras que não estão incluídas neste livro. Certamente, no entanto, terá muito mais facilidade para compreendê-las, pois o idioma de que fazem parte já não lhe é estranho.

Ao ler um texto em italiano ou ao ouvir o italiano no cinema, na televisão ou em conversas, é evidente que você não poderá consultar o dicionário a cada palavra nova que aparecer, e nem é conveniente que o faça, pois senão será impossível apreender o sentido geral do que está sendo lido ou ouvido. Portanto, faça antes um esforço no sentido da compreensão global, tentando fazer com que o significado das palavras se torne evidente através do contexto. Depois – e isso se aplica basicamente ao caso da leitura – é importante que você volte ao texto, consultando o dicionário para verificar a pronúncia e o sentido das palavras que não conhecia.

No entanto, não se esqueça de que as palavras não devem ser traduzidas isoladamente. É importante você utilizá-las sempre em frases e expressões. Leia textos em italiano, em voz alta, sempre que possível. Sugerimos que você grave sua leitura e vá comparando os resultados ao longo do tempo.

Levando a sério esses procedimentos, você conseguirá formar frases com desembaraço cada vez maior e ficará surpreendido com o desenvolvimento de sua capacidade para se comunicar em italiano.

VOCABULÁRIO PORTUGUÊS-ITALIANO

Este vocabulário irá completar sua habilidade para o uso do italiano corrente. Inúmeras palavras que você encontrará nele não foram utilizadas ao longo do livro. É interessante notar que, na conversação diária em qualquer idioma, a maioria das pessoas usa menos do que 2.000 palavras. Neste vocabulário, você encontrará cerca de 2.500 palavras, selecionadas de acordo com a freqüência de sua utilização.

Observações:
1. O gênero dos substantivos só estará indicado quando for diferente do seu equivalente português.
2. Os plurais irregulares serão indicados após o registro da palavra em italiano.
3. Quando uma mesma palavra tiver várias possibilidades de tradução para o italiano, de igual importância, elas serão registradas, separadas por vírgula.
4. Só serão registrados os advérbios mais importantes. Lembre-se, porém, de que a maioria dos adjetivos transforma-se em advérbio com o acréscimo do sufixo *-mente*.

Ex.: adjetivo: *fortunato*
advérbio: *fortunatamente*

A

a *(preposição)* a
abraçar abbracciare
abacaxi ananasso
abelha ape
aberto aperto
abraço abbraccio
abridor de latas apriscatole
abril aprile
abrir aprire
abundante abbondante
aceitar accettare
acender accendere
acidente incidente
aço acciaio
ações *(bolsa)* azioni
acomodar accomodare
acontecer succedere
acontecimento avvenimento
acordar svegliarsi
açougue macelleria
açougueiro macellaio
acreditar credere
acrescentar aggiungere
açúcar zucchero
acusar accusare
adeus addio
adiante avanti
admirar ammirare
admissão ammissione
adoecer ammalarsi

adormecido addormentato
advogado avvocato
aeroporto aeroporto
afetuoso affettuoso
afiado affilato
afilhada figlioccia
afilhado figlioccio
África Africa
africano africano
agência agenzia
agência de correio ufficio postale
agente agente
afogar annegare
agora ora, adesso
agosto agosto
agradável gradevole, piacevole
agradecido grato, riconoscente
água acqua
água mineral acqua minerale
agudo acuto
agulha ago
ainda ancora
ajoelhar-se inginocchiarsi
ajustar aggiustare
alcançar raggiungere
álcool alcool
alegre allegro
alegria gioia
além oltre
além disso inoltre
Alemanha Germania

alemão tedesco
alfabeto alfabeto
alface lattuga
alfaiate sarto
alfândega dogana
alfinete spillo
algodão cotone
alguém qualcuno
alguma coisa qualcosa
alho aglio
alma anima
almoçar pranzare
almoço pranzo
alta alta
alto alto
alugar affittare *(casas)*, noleggiare *(carros)*
aluguel affitto
aluno alunno
alvorada alba
amanhã domani
amante amante
amar amare
amarelo giallo
ambos entrambi
ameixa susina
América do Sul Sud America
americano americano
amido amido
amigável amichevole
amigo amico
amor amore
ancião anziano
âncora ancora
andar camminare
anel anello
anestésico anestetico
animal animale
aniversário compleanno

ano anno
antes prima di
anti-séptico antisettico
anúncio annuncio
ao invés invece
ao lado de accanto a
a menos que a meno che
apagar spegnere
apartamento appartamento
apetite appetito
aposta scommessa
apreciar apprezzare
aprender imparare
apresentar presentare
aprovar approvare
aproximadamente circa
aqui qui
ar aria
ar condicionado aria condizionata
área area
areia sabbia
argumento argomento
aritmética aritmetica
arma arma
armário armadio
arquiteto architetto
arranhão graffio
arranhar graffiare
arredores dintorni
arriscar rischiare
arroz riso
arte arte
artificial artificiale
artigo articolo
artista artista
árvore albero
às vezes qualche volta
asa ala
Ásia Asia

asno asino
aspargo asparago
áspero ruvido, aspro
aspirina aspirina
assado arrosto
assar arrostire
assassinar uccidere
assegurar assicurare
assim così
assinalar segnalare
assinar firmare
assinatura firma
assoprar soffiare
assumir assumere
assustar spaventare
até fino a
até logo arrivederci
atenção attenzione
aterrizar atterrare
Atlântico Atlantico
atmosfera atmosfera
ato atto
atômico atomico
ator attore
atrapalhar disturbare
atrás dietro (di)
atraso ritardo
através attraverso
atravessar attraversare
atriz attrice
atum tonno
aumentar aumentare
aumento aumento
ausência assenza
ausente assente
Austrália Australia
australiano australiano
Áustria Austria
austríaco austriaco

auto-estrada autostrada
automático automatico
automóvel automobile, macchina
autor autore
autora autrice
autoridade autorità
avançar avanzare
avenida viale
aventura avventura
avião aeroplano, aereo
aviso avviso
avó nonna
avô nonno
avós nonni
azarado sfortunato
azedo agro
azul blù, azzurro

B

bagagens bagagli
baía baia
bailarina ballerina
baixo basso
bala caramella
balança bilancia
balde secchio
balé balletto
baleia balena
banana banana
banco *(de sentar)* sedile
banco *(de dinheiro)* banca
banda banda
bandagem benda, fascia
bandeira bandiera
banheiro bagno
banho bagno
banquete banchetto

bar bar
barato a buon mercato
barba barba
barbeador rasoio
barbear-se farsi la barba
barbeiro barbiere
barco barca
barro fango
barulhento rumoroso
barulho rumore
bastante abbastanza
batalha battaglia
batata patata
bater na porta bussare
bater papo chiacchierare
bateria batteria
baú baule
baunilha vaniglia
bêbado ubriaco
beber bere
beijar baciare
beijo bacio
beleza bellezza
belga belga
Bélgica Belgio
belo bello
bem bene
bem-vindo benvenuto
biblioteca biblioteca
bicicleta bicicletta
bife bistecca
bigodes baffi
biscoito biscotto
blusa blusa
bobagem sciocchezza
bobo sciocco
boca bocca
boi bue
bolinha pallina

bolo torta dolce
bolsa borsa
bolso tasca
bom buono
bomba bomba
bombeiro pompiere, idraulico
bonde tram
boné berretto
boneca bambola
bonito bello
borda orlo
bordado ricamo
borracha gomma
bosque bosco
bota stivale
botão bottone
bracelete braccialetto
braço braccio
branco bianco
Brasil Brasile
brasileiro brasiliano
bravo arrabbiato
breve breve
brilhar brillare
brincadeira scherzo
brincar giocare
brincos orecchini
brinquedo giocattolo
brisa brezza, venticello
broche spilla
bruto bruto
buraco buco

C

cabaré cabaret
cabeça testa
cabeleireiro parrucchiere

cabelo capello
cabra capra
cabrito capretto
caça caccia
caçador cacciatore
cacau cacao
cachimbo pipa
cada um ognuno, ciascuno
cadeira sedia
caderno quaderno
café caffè
café da manhã colazione
cair cadere
cais molo
caixa *(de loja)* cassa, cassiere
caixa scatola
caixa postal cassetta postale
caixa-forte cassaforte
calçada marciapiede
calcanhar tallone
calças pantaloni
calendário calendario
calmo calmo
calor caldo
calorífero calorifero
cama letto
camarão gambero
camareira cameriera
câmbio cambio
caminhão camion
caminhar camminare
campainha campanello
campo *(zona rural)* campagna
campo campo
camponês contadino
canção canzone
candelabro candelabro
caneta penna
cansado stanco

cantar cantare
cantor cantante
cão cane
capa cappa
capa de chuva impermeabile
capaz capace
capela cappella
capital capitale
capitão capitano
capote cappotto
caráter carattere
carburador carburatore
carne carne
carneiro montone
caro caro
carpete moquette
carregar caricare
carta lettera
carta registrada lettera raccomandata
cartão-postal cartolina
carteira portafoglio
carteira de motorista patente di guida
carteiro postino
casa casa
casado sposato
casar-se sposarsi
cascata cascata
castelo castello
castigo castigo
catálogo catalogo
catedral cattedrale
católico cattolico
catorze quattordici
cavalo cavallo
caverna caverna
cebola cipolla
cedo presto

celebração celebrazione
cem cento
cemitério cimitero
cena scena
cenário scenario, palcoscenico
cenoura carota
centavo centesimo
central centrale
centro centro
cerca circa
cereal cereale
cérebro cervello
certamente certamente, sicuramente
certificado certificato
certificar certificare
certo esatto, corretto
cerveja birra
cesta cesta
céu cielo
chá tè
chama fiamma
chamar chiamare
chaminé camino
charuto sigaro
chave chiave
chefe capo
chegar arrivare
cheio pieno
cheirar odorare
cheque assegno
chifre corno
China Cina
chinês cinese
chocolate cioccolata
chorar piangere
chumbo piombo
chuva pioggia
cicatriz cicatrice

cidade città
ciência scienza
científico scientifico
cientista scienziato
cigano zingaro
cigarro sigaretta
cimento cemento
cimo cima
cinco cinque
cinema cinema
cinto cinghia *(masc.)*, cintura *(fem.)*
cintura vita
cinza *(cor)* grigio
cinza cenere
circundar circondare
ciúme gelosia
ciumento geloso
claro chiaro
classe classe
cliente cliente
clima clima
clube club, circolo
coberta coperta
coelho coniglio
coincidência coincidenza
coisa cosa
cola colla
colar collana
colcha coperta da letto
colete gilet
colher cucchiaio
colherzinha cucchiaino
colina collina
coluna *(vertebral)* colonna
com con
combinação combinazione
começar cominciare, iniziare
comédia commedia

comentário commentario
comer mangiare
comercial *(TV)* anunccio pubblicitario
comercial commerciale
comerciante commerciante
comércio commercio
cômico comico
comida cibo
comissão commissione
como come
companhia *(comercial)* società
companhia compagnia
comparar paragonare
competição competizione
completo completo
compositor compositore
comprar comprare
computador computer
comum comune
comunista comunista
concerto concerto
concha conchiglia
concordar essere d'accordo
condição condizione
conferência conferenza
confortável comodo
congelado congelato
congelados surgelati
congratulação congratulazione
conhaque cognac
conhecer conoscere
conselho consiglio
consertar riparare
conserto riparazione
conservador conservatore
considerar considerare
construir costruire
cônsul console

conta conto
contar contare
contente contento
continente continente
continuar continuare
contorno contorno
contra contro
controlar controllare
convencer convincere
conveniente conveniente
conversação conversazione
conversar conversare
convidar invitare
convite invito
cópia copia
copo bicchiere
coquetel cocktail
cor colore *(masc.)*
coração cuore
corajoso coraggioso
corda corda
corpo corpo
corporação corporazione
correio aéreo posta aerea
corrente catena
correr correre
correspondência posta
corresponder corrispondere
correto corretto
corrida corsa
cortar tagliare
cortês cortese
costa costa
costela costola
costeleta costina
costura cucitura
costurar cucire
costureira sarta
cotidiano quotidiano

cotovelo gomito
couro cuoio
couve cavolo
cozido bollito
cozinha cucina
cozinhar cucinare
cozinheiro cuoco
crédito credito
creme crema
crescer crescere
criação *(animais)* bestiame
criança bambino
crime crimine
criminoso criminale
crise crisi
cristal cristallo
criticar criticare
cronista cronista
cru crudo
cruel crudele
cruz croce
cruzamento incrocio
culpado colpevole
cunhado cognato
curar curare
curso corso
curto corto
curva curva
custar costare
custo costo

D

dançar ballare
dano danno
danoso dannoso
dar dare
data data

datilógrafo dattilografo
débito debito
decidir decidere
decorador arredatore
dedo dito *(pl. dita)*
defeito guasto
defender difendere
deixar lasciare
delicioso delizioso
demais troppo
demitir licenziare
democracia democrazia
de novo di nuovo, un'altra volta
dente dente
dentifrício dentifricio
dentista dentista
dentro dentro
depois dopo
depositar depositare
de repente d'improvviso, subito
derramar versare
desagradável sgradevole
descer scendere
descobrir scoprire
descolorir scolorire
desconfiar diffidare
desconfortável scomodo
desconto sconto
descrever descrivere
desculpa scusa
desculpar scusare
desculpar-se scusarsi, chiedere scusa
desejar desiderare
desejo desiderio
desembarcar sbarcare
desempregado disoccupato
desenvolver sviluppare
deserto deserto

desgraça disgrazia, sfortuna
desigual ineguale
desiludido deluso
desilusão delusione
desinfetar disinfettare
desleixado trascurato
desmaiar svenire
desobedecer disubbidire
desonesto disonesto
despensa cantina, dispensa
despertar svegliarsi
despesas spese
despir-se svestirsi, spogliarsi
destruir distruggere
desvantagem svantaggio
Deus Dio
dever dovere
de vez em quando ogni tanto
dez dieci
dezembro dicembre
dezenove diciannove
dezesseis sedici
dezessete diciassette
dezoito diciotto
dia giorno
dialeto dialetto
diálogo dialogo
diamante diamante
diante de di fronte a
dicionário dizionario
dieta dieta
diferença differenza
diferente differente, diverso
difícil difficile
dinheiro denaro, soldi
diplomado laureato
direção direzione
direita destra
direito diritto
diretamente direttamente
direto diretto
diretor direttore
dirigir dirigere
disco disco
discreto discreto
discutir discutere
disparar (*arma*) sparare
disposto disposto
distância distanza
divertido divertente
divertimento divertimento
divertir divertire
divino divino
divorciado divorziato
dizer dire
dobrar piegare
doce dolce
doença malattia
doente malato
dois due
dólar dollaro
doloroso doloroso
domingo domenica
dor dolore
dor de mal di
dormir dormire
dormitório camera da letto
dose dose
doutor dottore
doze dodici
ducha doccia
duplo doppio
durante durante
durar durare
duro duro
dúvida dubbio

duvidoso dubbioso
dúzia dozzina

E

e e, ed
echarpe sciarpa
econômico economico
economizar economizzare
edifício edificio
editor editore
editora casa editrice
educação *(escolar)* istruzione
egoísta egoista
elástico elastico
ele lui, egli
elefante elefante
elegante elegante
eleição elezione
eletricidade elettricità
elétrico elettrico
elevador ascensore
elogio complimento
em in
embaixada ambasciata
embaixo giù, sotto
embarcar imbarcare
em direção a verso
emergência emergenza
emoção emozione
empacotar imballare
em pé in piedi
empreender intraprendere
empregado impiegato
emprego posto
emprestado in prestito
emprestar prestare, dare in prestito
empréstimo prestito

empurrar spingere
em qualquer lugar in qualsiasi luogo
em todo lugar ovunque
em todo caso comunque
encontrar incontrare
encontro appuntamento
endereço indirizzo
enfermeira infermiera
engrenagem ingranaggio
enjôo nausea
enorme enorme
enquanto mentre
ensinar insegnare
então allora
entediar annoiare
entender capire
entrada *(bilhete)* biglietto
entrada entrata
entrar entrare
entre fra, tra
entregar consegnare
entrevista intervista
entusiasmo entusiasmo
entusiasta entusiastico
envelope busta
enviar spedire, mandare
envolver avvolgere
equador equatore
errado errato, sbagliato
erro errore, sbaglio
ervilhas piselli
escada scala
escapar scappare
escasso scarso
escocês scozzese
Escócia Scozia
escola scuola
escolher scegliere

esconder nascondere
escorregadio sdrucciolevole
escova spazzola
escravo schiavo
escrever scrivere
escritor scrittore
escritório ufficio
escuro scuro
escutar ascoltare
esmeralda smeraldo
espaço spazio
espada spada
Espanha Spagna
espanhol spagnolo
especial speciale
especialidade specialità
especialista esperto
especialmente specialmente
espelho specchio
esperança speranza
esperar attendere, aspettare
espetáculo spettacolo
espirrar starnutire
espirro starnuto
esplêndido splendido
esporte sport
esposa sposa, moglie
esposo sposo, marito
esquecer dimenticare
esquerda sinistra
esquiar sciare
esquina angolo
esta questa
estação *(do ano)* stagione
estação *(trem, etc.)* stazione
estacionar parcheggiare
estado stato
Estados Unidos Stati Uniti
estanho stagno

estar estare
estátua statua
estender estendere
esterilizado sterilizzato
estilo stile
estimulante stimolante
estômago stomaco
estrada strada
estragar sciupare
estrangeiro straniero
estranho strano
estreito stretto
estrela stella
estudante studente
estudar studiare
estudo studio
estúpido stupido
eu io
Europa Europa
europeu europeo
evidentemente evidentemente
evitar evitare
exame esame
examinar esaminare
exatamente esattamente
exato esatto
exausto esausto
excelente eccellente
exceto eccetto
excitado eccitato
excursão escursione
exemplo esempio
exercício esercizio
exército esercito
exibição esibizione
expedição spedizione
experiência esperienza
experimento esperimento
explicação spiegazione

explicar spiegare
explodir esplodere
explorador esploratore
exportar esportare
exposição esposizione
expressão espressione
expresso espresso
exterior estero
extraordinário straordinario
extravagante stravagante

F

fábrica fabbrica
fabricado fabbricato
fabricar fabbricare
faca coltello
fácil facile
facilmente facilmente
faísca scintilla
falar parlare
falência fallimento
falir fallire
falso falso, falsificazione
falta mancanza
faltar mancare
família famiglia
famoso famoso
farinha farina
farmácia farmacia
fatia fetta
fato fatto
fazenda fattoria
fazer fare
fechado chiuso
fechar chiudere
feijão fagiolo
feio brutto

feira fiera
feito fatto
felicidades auguri
felicíssimo felicissimo
feliz felice
feriado giorno festivo
férias *(escolares)* vacanze;
  (de trabalho) ferie
ferro ferro
ferro de passar ferro da stiro
ferrovia ferrovia
festa festa
ficar rimanere
fígado fegato
filha figlia
filho figlio
filme film
filosofia filosofia
filósofo filosofo
fim fine *(fem.)*
fim de semana fine settimana
fino fine
fio filo
fita nastro
fita cassete cassetta
flor fiore *(masc.)*
Florença Firenze
floresta foresta
florista fioraio
fofoqueiro pettegolo
fogo fuoco
folha *(de papel)* foglio
folha *(de árvore)* foglia
fome fame
fonte fontana
fora fuori
força forza
forma forma
formal formale

formar formare
formiga formica
fórmula formula
forno forno
forte forte
fósforo fiammifero
fotografia fotografia, foto
fotógrafo fotografo
fraco debole
frágil fragile
França Francia
francês francese
frango pollo
fronteira frontiera
freio freno
freqüente frequente
freqüentemente spesso
fresco fresco
frio freddo
fritada frittata
frito fritto
fruta frutta
fumaça fumo
fumar fumare
fundo fondo
funeral funerale
fungo *(comida)* fungo
furacão uragano
fusível fusibile
fútil futile
futuro futuro, avvenire
fuzil fucile

G

galão gallone
galinha gallina
ganhar guadagnare
garagem autorimessa, garage
garantido garantito
garçom cameriere
garfo forchetta
garganta gola
garota ragazza
garrafa bottiglia
gás gas
gasolina benzina
gastar spendere
gato gatto
gaveta cassetto
geladeira frigorifero
gelado ghiacciato
gelo ghiaccio
gêmeos gemelli
gênero genere
generoso generoso
genro genero
gente gente
gentil gentile
genuíno genuino
geografia geografia
geração generazione
geral generale
geralmente generalmente
gerente gerente, direttore
gim gin
golfe golf
golpe colpo
golpear colpire
gorjeta mancia
gosto gusto
governo governo
gracioso grazioso
grade cancello, grata, inferriata
gradualmente gradualmente
grama erba
grampo *(de cabelo)* forcina, molletta

grande grande
grátis gratis
grau grado
gravador registratore
gravata cravatta
grávida incinta
greve sciopero
gritar gridare
grito grido
grupo gruppo
guarda-chuva ombrello
guarda-roupa guardaroba
guerra guerra
guia guida *(masc. e fem.)*
guiar guidare

H

há c'è, ci sono
hábil abile
habitante abitante
hábito costume *(masc.)*, abitudine *(fem.)*
habituado abituato, accostumato
hebreu ebreo
helicóptero elicottero
herdeiro erede
herói eroe
heroína eroina
hesitar esitare
hipoteca ipoteca
história storia
histórico storico
hoje oggi
homem uomo
homens uomini
homicídio omicidio
honesto onesto

hora ora
horário orario
horizonte orizzonte
horrível orribile
hospedar ospitare
hóspede ospite *(masc. e fem.)*
hospital ospedale
hospitaleiro ospitale *(masc. e fem.)*
hospitalidade ospitalità
hotel hotel, albergo
humano umano
humorado spiritoso

I

iate panfilo
idade età
ida e volta andata e ritorno
idéia idea
idêntico identico
identidade identità
identificação identificazione
idiota idiota
ignorante ignorante
igreja chiesa
igual uguale, medesimo
ilegal illegale
ilha isola
ilustração illustrazione
imaginação immaginazione
imaginar immaginare
imediatamente immediatamente
imediato immediato
imigrante immigrante
imitação imitazione
imitar imitare
impaciente impaziente
importado importato

importância importanza
importante importante
impossível impossibile
imprensa stampa
inacreditável incredibile
inchado gonfio
incluir includere
incluso incluso, accluso
incomodar disturbare
incompleto incompleto
inconsciente inconscio, incosciente
inconveniente sconveniente
incorreto incorretto
indefinido indefinito
independência indipendenza
independente indipendente
Índia India
indiano indiano
indicação indicazione
indicar indicare
indigestão indigestione
indireto indiretto
indiscreto indiscreto
indivíduo individuo
indústria industria
industrial industriale
ineficiente inefficiente
inesperado inaspettato
infecção infezione
infeliz infelice
infelizmente sfortunatamente
inferior inferiore
inferno inferno
infinito infinito
informação informazione
informal informale
informar-se informarsi
Inglaterra Inghilterra
inglês inglese

ingrato ingrato
inimigo nemico
injeção iniezione, puntura
injusto ingiusto
inocente innocente
inquilino inquilino
inseto insetto
insistir insistere
insólito insolito
inspecionar ispezionare
instituição istituzione
instruir istruire
instrutor istruttore
intacto intatto
inteiro intero
inteligente intelligente
intenção intenzione
intenso intenso
interessado interessato
interessante interessante
interior interiore
internacional internazionale
interno interno
interpretar interpretare
intérprete interprete
intervalo intervallo
intestino intestino
introdução introduzione
inundação inondazione
inútil inutile
invejar invidiare
invenção invenzione
inverno inverno
investigar investigare
iodo iodo
ir andare
ir dormir andare a letto, coricarsi
ir embora andarsene
irmã sorella

irmão fratello
irregular irregolare
irrequieto irrequieto
Israel Israele
israelense israeliano
Itália Italia
italiano italiano

J

já già
janeiro gennaio
janela finestra
jantar *(subst.)* cena
jantar cenare
Japão Giappone
japonês giapponese
jaqueta giacca
jardim giardino
jardim zoológico giardino zoologico
joalheria gioielleria
joelho ginocchio
jogar giocare
jogo giuoco, gioco
jóias gioielli
jornal giornale
jovem giovane
judeu ebreo
juiz giudice
julgar giudicare
julho luglio
junho giugno
junto, juntos insieme
justiça giustizia
juventude giovinezza, gioventù

L

lã lana
lábio labbro *(pl.* labbra*)*
laboratório laboratorio
lado fianco, lato
ladrão ladro
lago lago
lagosta aragosta
lágrima lacrima
lâmina *(de barba)* lametta
lâmpada lampada
lançar lanciare
lanterna lampadina tascabile
lápis matita
laranja arancia
laranjada aranciata
largo largo
lata lattina, scatola
latão ottone
lavadeira lavandaia
lavanderia lavanderia
lavar lavare
lavável lavabile
laxante lassativo
leão leone
legal legale
legumes legumi
lei legge
leite latte
leiteria latteria
lembrança ricordo
lenço fazzoletto
lençol lenzuolo *(pl.* lenzuola*)*
lentamente lentamente, piano
lento lento
ler leggere
lesma lumaca
leste est

levantar alzare
levantar sollevare
levantar-se alzarsi
levar portare
leve leggero
liberal liberale
liberdade libertà
lição lezione
licença licenza
licor liquore
limão limone
limite limite
limonada limonata
limpar pulire
limpeza pulizia
língua lingua
lingüiça salsiccia
linha linea
linho lino
liso liscio
lista elenco
livraria libreria
livre libero
livro libro
lobo lupo
local locale
localidade località
locomotiva locomotiva
lógico logico
logo subito
loiro biondo
loja negozio, bottega
longe lontano, distante
longo lungo
louco pazzo
lua luna
luar chiaro di luna
lucro profitto
lugar luogo
lustrar lustrare, lucidare
luva guanto
luxo lusso
luxuoso lussuoso
luz luce

M

macaco scimmia
macarrão pasta
macho maschio
machucar far male
macio soffice, morbido
madeira legno
madrinha madrina
mãe madre
magia magia
mágico magico
maiô costume da bagno
maio maggio
maionese maionese
maioria maggioranza
mais più
mais ou menos più o meno
mais tarde più tardi
mal-entendido malinteso
malsão malsano
mancha macchia
manco zoppo
mandar *(dar ordens)* comandare
mandíbula mandibola
maneira maniera, modo
manga *(de roupa)* manica
manhã mattina
manicure manicure
manteiga burro
manter mantenere
mão mano

mão única senso unico
mapa carta geografica
máquina macchina
máquina de escrever macchina da scrivere
máquina fotográfica macchina fotografica
mar mare
maravilhoso meraviglioso
marca marca
marfim avorio
marido marito
marina marina
marinheiro marinaio
marrom marrone
martelo martello
mas ma, però
masculino maschile
material materiale
matrícula immatricolazione
matrimônio matrimonio
mecânico meccanico
medalha medaglia
medicina medicina
médico medico
medida misura
médio medio
medir misurare
Mediterrâneo Mediterraneo
meia calza
meia-noite mezzanotte
meio mezzo
meio-dia mezzogiorno
mel miele
melão melone
melhor migliore
melhoramento miglioramento
membro membro
menino bambino

menos meno
mensagem messaggio
mensageiro messaggiero
mente mente
mentira bugia
mentiroso bugiardo
menu menu
mercado mercato
mercearia drogheria
merecer meritare
mês mese
mesa tavola (tavolo)
mesmo stesso
metade metà
metal metallo
metro metro
metrô metropolitana
mexicano messicano
México Messico
mil mile
milha miglio *(pl. miglia)*
milhão milione
mina miniera
mineral minerale
mínimo minimo
ministro ministro
minuto minuto
missa messa
missão missione
mistério mistero
misterioso misterioso
misturar misturare, mescolare
mobília mobilia
modelo modello
moderno moderno
modesto modesto
moeda moneta
molhado bagnato
molho sugo

momento momento
montanha montagna
monumento monumento
moreno bruno
morrer morire
morto morto
mosca mosca
mosquito zanzara
mostarda mostarda
mosteiro monastero
mostrar mostrare
motocicleta motocicletta
motor motore
motorista autista
mover muovere
muito molto
muitos molti
mula mula
mulher donna, moglie
multidão folla
mundo mondo
municipal comunale
muro muro
música musica
músico musicista
músculo muscolo

N

nação nazione
nacional nazionale
nacionalidade nazionalità
Nações Unidas Nazioni Unite
nada niente
nadar nuotare
não no, non
Nápoles Napoli
napolitano napoletano

nariz naso
nascido nato
natal natale
natural naturale
naturalmente naturalmente
navegar navigare
navio nave
neblina nebbia
necessário necessario
negócios affari
negro nero, negro
nem nè
nervo nervo
nervoso nervoso
neta nipote
neto nipote
nevada nevicata
nevar nevicare
neve neve
ninguém nessuno
nível livello
noite *(noite alta)* notte
noite sera, serata
noivo fidanzato
nome nome
nora nuora
nordeste nord-est
normal normale
noroeste nord-ovest
norte nord
Noruega Norvegia
norueguês norvegese
nota *(de dinheiro)* banconota
nota fiscal scontrino
notar notare
notícia notizia
notificar notificare
nove nove
novembro novembre

noventa novanta
novidade novità
novo nuovo
noz noce
nu nudo
número numero
numeroso numeroso
nunca mai
nuvem nuvola, nube

O

obedecer obbedire
objeto oggetto
obra opera
obra-prima capolavoro
obrigado grazie
obrigar obbligare
observação osservazione
observar osservare
obter ottenere
óbvio ovvio
ocasião occasione
oceano oceano
ócio ozio
óculos occhiali
ocupação occupazione
ocupado occupato
ocupar occupare
odiar odiare
odor odore
oeste ovest
oferecer offrire
oferta offerta
oficial ufficiale
Oi! Ciao!
oitenta ottanta
oito otto

oitocentos ottocento
óleo olio
olhar guardare
olho occhio
oliva oliva
ombro spalla
onça *(medida de peso)* oncia
onda onda
onde dove
ônibus autobus
ontem ieri
onze undici
ópera opera
operação operazione
opinião opinione
oportunidade opportunità
oposto opposto
ordem ordine
ordenar ordinare
ordinário comune
orelha orecchio
órfão orfano
organização organizzazione
orgulhoso orgoglioso, fiero
oriental orientale
original originale
ornamento ornamento
orquestra orchestra
orquídea orchidea
ortodoxo ortodosso
osso osso *(pl.* ossa*)*
ostra ostrica
ótico ottico
ou o
ouro oro
outono autunno
outro altro
outubro ottobre
ovelha pecora

ovo uovo *(pl.* le uova)
oxigênio ossigeno

P

paciência pazienza
paciente paziente
pacífico pacifico
pacote pacco
padaria panetteria
padrinho padrino
pagamento pagamento
pagar pagare
página pagina
pago pagato
pais genitori
país paese
paisagem paesaggio
palácio palazzo
palavra parola
palestra palestra
pálido pallido
palmeira palma
palmo palmo
pantufas pantofole
pão pane
papa papa *(chefe espiritual da Igreja Católica)*
papel carta
par paio
parado fermo
para ela a lei, le
para ele gli, a lui
parafuso vite
para onde per dove
parar fermare
parecer parere, sembrare
parede parete

parente parente
Paris Parigi
parque parco
parte parte
particípio participio
partida partenza
partir partire
Páscoa Pasqua
passado passato
passageiro passeggero
passagem *(bilhete)* biglietto
passagem passaggio
passar passare
passar roupa stirare
pássaro uccello
passeio passeggiata, giro
passo passo
patinar pattinare
pato anatra
patrão padrone
paz pace
público pubblico
pé piede
pedaço pezzo
pedinte mendicante
pedir richiedere
pedra pietra
pegar prendere
peito petto
peixe pesce
pele pelle
pena *(jur.)* pena
pensão pensione
pensar pensare
pente pettine
pequeno piccolo
pêra pera
perceber notare
perda perdita

perder perdere
perdido perduto
perdoar perdonare
peregrino pellegrino
perfeito perfetto
perfume profumo
pergunta domanda
perguntar domandare, chiedere
perigo pericolo
perigoso pericoloso
período periodo
permanente permanente
permissão permesso
permitir permettere
perna gamba
pérola perla
persa persiano
personalidade personalità
persuadir persuadere
pertencer appartenere
perto vicino
peru tacchino
peruca parrucca
pesado pesante
pesar pesare
pesca pesca
pescador pescatore
pescoço collo
peso peso
pesquisa ricerca
pêssego pesca
pessoal personale
petróleo petrolio
piano pianoforte
pijama pigiama
pilar pilastro
piloto pilota
pílula pillola
pimenta pepe

pingar gocciolare
pintar dipingere
pintor pittore
pintura pittura
pior peggiore
piscina piscina
piso pavimento
planeta pianeta
plano *(subst.)* piano
plano *(adj.)* piatto, piano
planta pianta
plástico plastic
plural plurale
pneu gomma, pneumatico
pneumonia polmonite
pó polvere
pobre povero
poder potere
poderoso potente
poema poema
poeta poeta
polícia polizia
policial poliziotto, carabiniere
política politica
político politico
pomar frutteto
pombo colombo, piccione
ponte ponte *(masc.)*
ponto punto
ponto de ônibus fermata dell'autobus
popular popolare
pôr mettere
por per
porco porco, maiale
porém però
por favor per piacere, per favore
por isso perciò
porque ou por que perchè

por sorte fortunatamente
porta porta, sportello
portanto quindi, dunque
porto porto
Portugal Portogallo
posição posizione
positivo positivo
possível possibile
possivelmente possibilmente
praça piazza
praia spiaggia
prata argento
praticar praticare
prático pratico
prato piatto
prazer piacere
precedente precedente
precioso prezioso
precisar de aver bisogno di
preço prezzo
preferir preferire
prego chiodo
preguiçoso pigro
prêmio premio
prender arrestare
preocupado preoccupato
preocupar-se preoccuparsi
preparação preparazione
preparar preparare
presente *(tempo)* presente
presente regalo
presentear regalare
presidente presidente
pressa fretta
presunto prosciutto
prevenir prevenire
primavera primavera
primeiro primo
primo cugino

princesa principessa
principal principale
príncipe principe
prisão carcere
prisioneiro prigioniero
privado privato
problema problema, guaio
produção produzione
produzir produrre
professor professore
profissão professione
profundo profondo
programa programma
progressivo progressivo
proibir proibire, vietare
promessa promessa
prometer promettere
pronto pronto
pronúncia pronuncia
pronunciar pronunciare
propaganda propaganda
proposta proposta
propriedade proprietà
proprietário proprietario
próprio proprio
prosperidade prosperità
proteção protezione
proteger proteggere
protestante protestante
protestar protestare
prova prova
provar provare
provável probabile
provavelmente probabilmente
província provincia
provincial provinciale
próximo prossimo
prurir prudere

psicólogo psicologo
psiquiatra psichiatra
publicar pubblicare
publicidade pubblicità
pular saltare
pulmão polmone
pulôver golfe
pulso polso
punho *(da camisa)* polsino
punir punire
puro puro
púrpura porpora
puxar tirare

Q

quadrado quadrato
quadro quadro
qual quale
qualidade qualità
qualquer qualunque, qualsiasi
quando quando
quantidade quantità
quanto quanto
quarenta quaranta
quarta-feira mercoledì
quarteirão quartiere
quarto *(numeral)* quarto
quarto stanza, camera
quase quasi
quatro quattro
que chi
que che
quebrado rotto
quebrar rompere
queda caduta
queijo formaggio
queimar ardere, bruciare
queixo mento
quente caldo
querer volere
querido caro
quiçá chissà
quinta-feira giovedì

R

rã rana
rabino rabbino
rabo coda
raça razza
rádio radio *(fem.)*
rainha regina
raio x raggi x *(ics)*
rapaz ragazzo
rapidamente rapidamente, alla svelta
rápido rapido, di corsa
raposa volpe
raramente raramente, di rado
raro raro
rasgado strappato
rato topo
razão ragione
razoável ragionevole
real reale
realmente veramente
rebocar rimorchiare
recado messaggio
receber *(dinheiro)* riscuotere
receber ricevere
receita ricetta
recém-nascido neonato
recente recente
recentemente recentemente
recibo ricevuta

recompensa ricompensa
recompensar ricompensare
reconhecer riconoscere
recordar ricordare
recusar rifiutare
redondo rotondo
redução riduzione
reduzir ridurre
reembolsar rimborsare
refeição pasto
refúgio rifugio
região regione
registrar registrare
registro registro
regulamento regolamento
regular regolare
rei re
relâmpago lampo
relógio orologio
remédio rimedio, medicina
remendar rammendare
renda reddito
repetir ripetere
réplica replica
repousar riposare
repreender rimproverare
representante rappresentante
representar rappresentare
reprodução riproduzione
república repubblica
reputação reputazione
reservado prenotato
reservar prenotare
resfriado influenza, raffreddore
residência residenza
residente residente
resistir resistere
respirar respirare
responder rispondere

resposta risposta
restaurante ristorante
restituir restituire
resto resto
resultado risultato
retirado ritirato
retirar ritirare
retornar ritornare
retrato ritratto
reunião riunione
revista rivista
revolução rivoluzione
revólver pistola
reza preghiera
rico ricco
rígido rigido
rins reni
rio fiume
rir ridere
risco *(perigo)* rischio
rocha roccia
roda ruota
Roma Roma
romance romanzo
romano romano
romântico romantico
roncar russare
rosa rosa
rosto faccia, volto, viso
roubar rubare
roupa íntima biancheria intima
roupas vestiti, abiti
rua via, strada
rubi rubino
rude rude, rozzo
ruim cattivo
ruína rovina
rum rum
Rússia Russia
russo russo

S

sábado sabato
sabão sapone
saber sapere
sábio saggio
sabor sapore
saca-rolha cavatappi
sacerdote sacerdote
saco sacco
saia gonna
saída uscita
sair uscire
sal sale
salada insalata
sala de aula aula
sala de espera sala d'aspetto, sala d'attesa
sala de estar salotto
sala de jantar sala da pranzo
salão salone
salão de beleza salone di bellezza
salário salario, stipendio
salmão salmone
salsa salsa
salsicha wurst
salsinha prezzemolo
salto *(de sapato)* tacco
salvador salvatore
salvar salvare
salvo salvo, sicuro
sanduíche panino, imbottido
sangue sangue
sanitário sanitario
santo santo
sapato scarpa
sarar guarire
sarcasmo sarcasmo
sarcástico sarcastico
satisfatório soddisfacente
satisfazer soddisfare
satisfeito soddisfatto
saúde salute
Saúde! Saluti!
se se
seção sezione
seco secco
secretária segretaria
século secolo
seda seta
segredo segreto
seguinte seguente
seguir seguire
segunda-feira lunedì
segundo secondo
seguro assicurazione
seguro *(adj.)* sicuro
seio seno
seis sei
sela sella
selecionar selezionare
selo francobollo
selvagem selvaggio
sem senza
semana settimana
semente seme
sempre sempre
senhor signore
senhora signora
senhorita signorina
sensação sensazione
sensível sensibile
sentar-se sedersi
sentença sentenza
sentimental sentimentale
sentir udire, sentire
separado separato
ser essere

sereno quieto
série serie
sério serio
serpente serpente
serra *(ferramenta)* sega
serviço servizio
servo servo
sessenta sessanta
sete sette
setembro settembre
setenta settanta
sétimo settimo
severo severo
sexta-feira venerdì
sexto sesto
Sicília Sicilia
siciliano siciliano
significar significare
silêncio silenzio
silencioso silenzioso
sim sì
similar simile
simpático simpatico
simples semplice
sinceramente sinceramente
sintoma sintomo
sistema sistema
só *(sozinho)* solo, da solo
sob sotto
sobre *(em cima)* sopra
sobrenome cognome
sobrinha nipote
sobrinho nipote
social sociale
sócio socio
socorro aiuto
soda soda
sofá sofà, divano
sofrer soffrire
sogra suocera

sol sole
soldado soldato
sólido solido
solteira nubile
solteiro scapolo
solto sciolto
som suono
sombra ombra
somente soltanto, solo, solamente
sonho sogno
sorrir sorridere
sorriso sorriso
sorte fortuna
sortimento assortimento
sorvete gelato
sótão sottotetto
sotaque accento
sub *(pref.)* sotto
subir salire
subsolo sottosuolo
sucesso successo
suco succo
Suécia Svezia
suficiente sufficiente
Suíça Svizzera
sujo sporco
sul sud
sul-americano sudamericano
suor sudore
surgir sorgere
surpresa sorpresa
sutiã reggiseno
sutil sottile

T

tabaco tabacco
tal tale

talento talento
talvez forse
tamanho taglia, misura
também anche
tampa tappo, coperchio
tarde *(período do dia)* pomeriggio
tarde *(hora avançada)* tardi
tarifa tariffa
tartaruga tartaruga
taxa tassa
táxi tassì
teatro teatro
tecido tessuto
tédio noia
telefonar telefonare
telefone telefono
telefonista telefonista
telegrama telegramma
televisão televisione
temperatura temperatura
tempestade tempesta
templo tempio
tempo tempo
temporário temporaneo
tenente tenente
tênis tennis
tenor tenore
tentar tentare, cercare
teor tenore
ter tenere
terça-feira martedì
terceiro terzo
terminado finito, terminato
terminar finire, terminare
termômetro termometro
terra terra
terraço terrazza
terremoto terremoto
terrível terribile

tesoura forbici *(fem. pl.)*
tesouro tesoro
testamento testamento
testemunha testimone
teto soffitto
tia zia
tigre tigre *(fem.)*
time squadra
tímido timido
tinturaria tintoria
tio zio
típico tipico
tipo tipo
toalha *(de enxugar)* asciugamano
toalha *(de mesa)* tovaglia
tocar *(um instrumento)* suonare
tocar toccare
todavia comunque, tuttavia
todos tutti
tomar emprestado prendere in prestito
tomate pomodoro
torcer torcere
torcer *(por)* fare il tifo
tornar diventare
tornozelo caviglia
torrada pane tostato
torre torre
torta *(bolo)* torta
Toscana Toscana
tosse tosse
tossir tossire
total totale
toucinho pancetta, lardo
touro toro
trabalhador lavoratore
trabalhar lavorare
trabalho lavoro
tradução traduzione

traduzir tradurre
tráfico traffico
tragédia tragedia
transferir trasferire
trânsito traffico
transporte trasporto
trapo straccio
travesseiro guanciale
trazer portare
trem treno
três tre
treze tredici
trigo grano, frumento
trinta trenta
triste triste
tristeza tristezza
trocar cambiare, scambiare
troco resto
tropical tropicale
trovão tuono
tubarão pescecane
tubo tubo
tudo tutto
tulipa tulipano
tumulto tumulto
túnel tunnel, traforo
turco turco
Turquia Turchia

U

último ultimo
um uno, un
uma una, un'
úmido umido
unha unghia
união unione
unido unito

uniforme uniforme
unire unir
universidade università
urgente urgente
urso orso
usar usare
uso uso
usual usuale
utensílio utensile
útil utile
uva uva
vaca vacca
vacinação vaccinazione
Vá embora! Se ne vada!, Vada via!
vale valle
válido valido
valise de mão valigetta
valor valore
vapor vapore
variedade varietà
vários vari
vassoura scopa
Vaticano Vaticano
vazio vuoto
vela *(de acender)* candela
vela *(de barco)* vela
velho vecchio
veludo velluto
vencer vincere
venda vendita
vendedor commesso
vendedora commessa
vender vendere
veneno veleno
venenoso velenoso
Veneza Venezia
ventilador ventilatore
vento vento
ver vedere

verão estate
verdade verità
verdadeiramente davvero
verdadeiro vero
verde verde
vermelho rosso
vestido vestito, abito
vestir-se vestirsi, mettersi, indossare
veterinário veterinario
vez volta
viagem viaggio
viajar viaggiare
vida vita
vidro vetro
vinagre aceto
vingança vendetta
vinhas vigne
vinho vino
vinho tinto vino rosso
vinte venti
violão ghitarra
violência violenza
violento violento
violeta viola
violino violino
vir venire
virada svolta
visão visione
visita visita
visitar visitare
vista veduta, vista
vitelo vitello
vitória vittoria
vitrine vetrina
viúva vedova
viúvo vedovo
viver vivere
vizinhança vicinanza
vizinho vicino
voar volare
voltar ritornare
vôo volo
voz voce
vulcão vulcano

X

xampu shampoo
xícara tazza

Z

zebra zebra
zero zero
zíper chiusura lampo, cerniera
zona zona

GRÁFICA PAYM
Tel. [11] 4392-3344
paym@graficapaym.com.br